WLAD~~~~~~~
Ich mache~~~~~~~~~~~~~~~~ ~~~~~~ ama

S0-ABP-509

Wladimir Kaminer

Ich mache mir Sorgen, Mama

GOLDMANN

Die Originalausgabe erschien 2004 unter dem Titel
»Ich mache mir Sorgen, Mama«
im Manhattan Verlag, München,
in der Verlagsgruppe Random House GmbH

FSC
Mix
Produktgruppe aus vorbildlich
bewirtschafteten Wäldern und
anderen kontrollierten Herkünften

Zert.-Nr. SGS-COC-1940
www.fsc.org
© 1996 Forest Stewardship Council

Verlagsgruppe Random House FSC-DEU-0100
Das FSC-zertifizierte Papier *München Super* für dieses Buch
liefert Arctic Paper Mochenwangen GmbH.

5. Auflage
Genehmigte Taschenbuchausgabe April 2006
Copyright © der Originalausgabe 2004
by Wladimir Kaminer
Copyright © dieser Ausgabe 2006
by Wilhelm Goldmann Verlag, München,
in der Verlagsgruppe Random House GmbH
Umschlaggestaltung: DesignTeam München
unter Verwendung einer Illustration von Vitali Konstantinov
AB · Herstellung: Str.
Druck und Bindung: GGP Media GmbH, Pößneck
Printed in Germany
ISBN: 978-3-442-46182-0

www.goldmann-verlag.de

Meiner Mutter

Inhalt

Inhalt

Deutsch für Anfänger

Oft kommt es vor, dass ich von Schulklassen eingeladen werde. Nach der Lesung stellen mir die Schüler Fragen, allerdings wollen sie nie Näheres über den Inhalt meiner Geschichten wissen, sondern immer nur, was ich im Jahr verdiene und wie ich das ganze Geld ausgebe. Einige wenige fragen mich auch, ob ich auf Deutsch träume. Auch andere neugierige Leser versuchen, eine Verbindung zwischen mir und der deutschen Sprache herzustellen.

»Warum schreiben Sie auf Deutsch?«, fragen sie mich während der Lesungen und in ihren Briefen. »Haben Sie schon in Moskau in der Schule Deutsch gelernt? Sprechen Ihre Kinder Deutsch? Was lieben Sie an der deutschen Sprache?«

Ich verteidige mich mit aller Kraft. »Nein, ich habe Deutsch nicht in der Schule gelernt, sondern nur hier, aus Not«, erkläre ich. Als Schriftsteller und Journalist war ich an einem großen Lesepublikum inte-

ressiert, habe aber den Übersetzern immer misstraut.
Und in Deutschland bleibt trotz aller Einwande-
rungsmassen Deutsch noch immer mit Abstand die
einzige Sprache, die von den meisten verstanden und
gelesen wird. Ein Sprachkünstler bin ich nie gewesen,
für mich ist die Sprache nur ein Werkzeug, ein Hammer, der mir hilft, Verständigungsbrücken zu anderen zu schlagen. Der Umgang mit der Sprache kann
unterschiedlich sein. So wie Musiker ihre Gitarren
auch sehr unterschiedlich quälen – der eine kann mit
zwölf Fingern und der Nase darauf spielen, der
andere haut mit der Faust auf sein Instrument. Wenn
er aber tatsächlich etwas zu sagen hat, kann er mit
zwei Akkorden große Begeisterung beim Publikum
hervorrufen. Selbst die verdorbensten Musikkritiker
schütteln dann den Kopf und sagen: »Diese zwei Akkorde sind zwar total abgenutzt und belanglos, aber
wie der Kerl auf die Saiten haut, das ist doch bemer-
kenswert. Ein großer Musiker.« Und so haue ich auf
mein Deutsch, das bei weitem nicht perfekt ist, aber
ausreicht, um sich damit Gedanken über das Leben
zu machen und sie zu Papier zu bringen.

Meine erste Bekanntschaft mit der deutschen
Sprache fand in der sowjetischen Schule Nr. 701
statt. Dort durften wir in der fünften Klasse auswäh-
len, welche ausländische Sprache wir lernen wollten.

Deutsch und Englisch standen zur Auswahl – alle Kinder entschieden sich für Englisch. Deutsch war als Nazisprache verpönt. Irgendjemand musste aber auch Deutsch lernen, immerhin lebten wir in einer Planwirtschaft. Also wurden die schlechten Schüler und Rowdys zum Deutschunterricht verdonnert.

Die beiden Sprachlehrerinnen kamen am Ende der großen Mittagspause in die Schulkantine. Die Englischlehrerin war eine junge gefärbte Blondine mit langen Fingernägeln. Sie hatte außerdem eine tiefe, erotische Stimme: »*Ladies and gentlemen*«, rief sie, »*come on please – to the classroom!*« Das klang für uns damals sehr cool, das war die Sprache unserer Propheten, die Sprache von Ozzy Osbourne, Manfred Mann und KISS. Die Deutschlehrerin war eine ältere Dame mit Hornbrille und einem grauen Zopf auf dem Kopf, sie trug eine selbst gestrickte graue Bluse und sah aus wie eine große alte Krähe. »𝔎𝔬𝔪𝔪𝔱 𝔷𝔲 𝔪𝔦𝔯, 𝔎𝔦𝔫𝔡𝔢𝔯! 𝔍𝔫 𝔡𝔞𝔰 𝔎𝔩𝔞𝔰𝔰𝔢𝔫𝔷𝔦𝔪𝔪𝔢𝔯«, krähte sie in der Kantine. Alle bekamen eine Gänsehaut von diesem »𝔎𝔩𝔞𝔰𝔰𝔢𝔫𝔷𝔦𝔪𝔪𝔢𝔯«.

Nicht nur die Schüler, auch die russischen Klassiker standen der deutschen Sprache kritisch gegenüber. Leo Tolstoi verglich sie mit den unendlichen Gleisen der Eisenbahn – bis an den Horizont. Nabokov ging noch weiter und behauptete, dass sich die deutsche Sprache so anhört, als würde einer Nägel in Bretter treiben. Ich war zwar kein guter Schüler, aber nicht schlecht genug für den Deutschunterricht. Also verbrachte ich meine jungen Jahre im *classroom*: »*Desmond has a barrow in the market place / Molly is the singer in a band.*«

Als ich 1990 nach Deutschland aufbrach, hatte ich nur einen alten russisch-deutschen Sprachführer aus der Bibliothek meiner Mutter dabei, extra für diesen Anlass enteignet. Das dünne Heft von 1957 bewies schon in den ersten Sätzen seine Nutzlosigkeit: »Wie komme ich zur Sowjetischen Botschaft?«, stand dort; und: »Ich muss dringend den sowjetischen Botschafter sprechen.« Die Sowjetische Botschaft stand nicht auf meiner Liste der Berliner Sehenswürdigkeiten, und der sowjetische Botschafter war der Letzte, den ich sprechen wollte. Meine Englischkenntnisse hatten sich zu diesem Zeitpunkt bereits auf natürliche Weise aus dem Kopf verflüchtigt. Wer war noch mal Desmond gewesen, und als was hatte Molly gearbeitet? Also fing ich in Berlin auf der Straße und in den Kneipen noch einmal von vorne an, die neue Sprache zu lernen. Später ging ich in einen Sprachkurs der Humboldt Universität. Schnell erkannte ich dort das System. Anders als in meiner Heimatsprache kann man im Deutschen alle Wörter zusammensetzen,

Substantive mit Adjektiven verbinden oder umgekehrt, man kann sogar neue Verben aus Substantiven
ableiten. Dabei entstehen völlig neue Redewendun-
gen, die aber von allen sofort verstanden werden. Anfangs experimentierte ich viel in der U-Bahn. Meine
ersten Versuchskaninchen waren die Fahrausweis-
kontrolleure, die sich immer wieder gerne auf einen
komplizierten Wortaustausch einließen. »Ihr Kurz-
streckentarif ist nach einer Zwanzigminutenstrecke
abgelaufen«, sagten sie zum Beispiel.

»Ich habe den Langstreckentarif nicht gefunden
und wollte nur einmal kurzstrecken, habe aber die
Ausstiegsgelegenheit leider verpasst«, antwortete ich.

»Die können wir für Sie organisieren«, meinten die
Kontrolleure, »steigen Sie bitte mit aus.«

Mit oder aus? Aus oder mit? Ich war begeistert von
der Flexibilität und Sensibilität dieser Sprache. Später, als ich zu schreiben anfing, betitelte ich alle meine
Geschichten, ja sogar Bücher mit diesen zusammen-
geklappten wunderbaren Worten, die immer wieder
neue Farben in die Sprache brachten. Die *Russendisko*
zum Beispiel würde auf Russisch nur flach als »Russkaja Diskotheka« ausfallen. Und *Militärmusik* ist ebenfalls im Russischen nicht sagbar.

Inzwischen ist meine Bekanntschaft mit der deutschen Sprache dreizehn Jahre alt. Und ich weiß, dass

das einst begehrte Englisch – die Sprache unserer damaligen Propheten wie Ozzy Osbourne – bloß eine Entgleisung des Plattdeutschen ist. Meine Heimatsprache Russisch ist sehr bildhaft und ausdrucksreich, man kann im Russischen für alles Dutzende von treffenden Wörtern finden, die aber hier im Westen keiner versteht. Im Deutschen reimt sich dafür alles auf den Endungen, wenn man nur will. Diese Sprache hat mit den Gleisen bis an den Horizont nichts zu tun, sie ist vielmehr eine Art Lego-Baukasten, in dem alle Teile zueinander passen. Was man daraus baut, ist jedem selbst überlassen. Neulich zum Beispiel zeigte meine Schwiegermutter, die kein Deutsch kann, unserer siebenjährigen Tochter ein Foto von mir mit der Bildunterschrift »Schriftsteller Kaminer« und fragte sie, was da steht. »Ist doch klar«, sagte Nicole, »Schriftsteller – das ist ein Teller mit Schrift.« Meine Schwiegermutter guckte sich daraufhin das Foto noch einmal genauer an, konnte aber nirgendwo einen Teller entdecken. Deutsch bleibt nach wie vor geheimnisvoll.

Die Geologen und ihre heimliche Nachwuchsschulung

»Also eure beiden Kleinen, wenn die morgens zum Kindergarten ziehen, dann sieht man sofort – das sind Oma-Kinder«, erzählte mir meine Nachbarin. »Ist es nicht toll, eine Oma zu haben?« Das konnte ich nur bestätigen. Allein in diesem Jahr verbrachte meine Schwiegermutter drei Monate bei uns. Sie stand früh auf und kümmerte sich um alles: kochte, brachte die Kinder zum Kindergarten, las ihnen alte russische Märchen vor und sang jeden Abend vor dem Schlafengehen Gutenachtlieder, die wir nicht kannten. Meine Frau und ich gingen abends aus, mal in eine Kneipe, mal in ein Konzert, und freuten uns, dass unsere Kinder mit der Oma auch noch eine andere kulturelle Tradition kennen lernten und nicht nur auf solche Wessi-Figuren wie Peter Pan und die Biene Maja fixiert wurden. Mit meiner Schwiegermutter sollten sie ihren Horizont erweitern, was auch geschah.

Eines Tages kam mein vierjähriger Sohn Sebastian zu mir ins Arbeitszimmer. Ich war gerade dabei, eine Geschichte zu schreiben, aber die Arbeit ging nicht richtig voran. Sebastian klopfte mir auf die Schulter und sagte: »Halte durch, Geolog! Gib nicht auf, Geolog!«

»Wie bitte?«, fragte ich ihn. Wo hatte der Junge solche Sprüche her? Abends beschloss ich, mir das Gutenachtlied meiner Schwiegermutter anzuhören. Es war die Hymne der Geologen, die meine Kinder stark beeindruckte. Meine Schwiegermutter hatte dreißig Jahre lang auf Sachalin für eine Organisation namens GSO gearbeitet, was so viel wie »Geologische Schürfexpedition der Stadt Ocha« bedeutet. Früher, in der Sowjetunion, genossen die Geologen allgemeine Achtung, für viele junge Leute war es ein höchst erstrebenswerter Beruf, der alle traumhaften Elemente eines erfüllten Lebens in sich barg: Romantik und Heldentum, Zelten auf einem Berg, Lagerfeuer in der Schneewüste, mit dem Hubschrauber über die Taiga, aber auch ein doppeltes Gehalt plus Gefahrenzulage, zwei Monate Urlaub auf der Krim, wilde, kernige Frauen für die Männer und wilde, bärtige Männer für die Frauen, dazu Champagner bis zum Abwinken. Jeden ersten Sonntag im April wurde landesweit der »Tag des Geologen« gefeiert. Die Regierung zeichnete die Besten mit schicken Ehrenurkunden aus, namhafte sowjetische Komponisten widmeten ihnen ihre neuesten Lieder, das Fernsehen übertrug die »Große Geologen-Hymne«:

> Niemals wirst du umkehren,
> Denn das Sein ist dir lieber als der Schein;
> Auch im Leben wirst du immer erkennen
> Wertvolle Erze im tauben Gestein.
>
> Halte durch, Geolog!
> Gib nicht auf, Geolog!
> Des Windes und Sturmes Freund!

Nach der Perestroika ging die geologische Forschungsarbeit in Russland rapide zurück. Heute ziehen ganz andere Berufe die Jugendlichen an: Börsenmakler, Immobilienhändler und Ähnliches. Der »Tag der Polizei« und der »Tag des Kleinhandels« werden zwar immer noch gefeiert, aber der »Tag des Geologen« ist zur belächelten Vergangenheit geworden. Auch die große Hymne von damals erklingt nicht mehr im Fernsehprogramm des Monats April, dafür aber neuerdings in Berlin. In unserem Kinderzimmer hat dieses Lied seine Wiedergeburt erlebt. Obwohl die Kinder nicht immer alles richtig verstehen, wovon die Schwiegermutter singt: »Niemals wirst du umkehren / Denn das Sein ist dir lieber als der Schein…«

»Arme, arme Geologen«, seufzte meine Tochter Nicole, »warum nur können sie niemals umkehren? Warum?«

»Geht nicht«, erklärte ihr die Schwiegermutter, »das können sie nicht, ich weiß nicht, warum.«

»Du bist aber doof, Nicole!«, sagte Sebastian. »Sie haben keinen Rückwärtsgang, und deswegen können sie nicht umkehren!« Er hält die Geologen aus dem Lied für eine Art Roboter, wie sein akkugeladenes Mondfahrzeug, das auch nicht umkehren kann. Beide Kinder haben die Geologen als tragische Figuren in ihre Kinderwelt aufgenommen. Sebastian nannte eine Zeit lang alle, die ihm Leid taten, Geologen. Unter anderem sein Lieblingskrokodil, dem er selbst einmal aus Versehen eine Pfote rausgedreht hatte. »Halte durch, Geolog!«, sagte er zum Krokodil.

Meine Frau und ich machen gelegentlich Witze über meine Schwiegermutter und ihre Geologen-Gesänge. »Aber sag mal«, fragte ich sie jedes Mal, wenn wir uns in der Küche trafen, »im Ernst: Warum können die Geologen denn nicht umkehren?«

»Geht nicht«, antwortete Schwiegermutter bloß und lachte.

Nach drei Monaten war ihr Touristenvisum abgelaufen, und wir mussten uns von ihr verabschieden. Sie fuhr zurück in den Nordkaukasus. Ihr Lied, von allen Mitgliedern der Familie inzwischen auswendig gelernt, blieb bei uns. Die Kinder singen es auf dem Weg zum Kindergarten.

»Geologen!«, ruft Sebastian, wenn er eine Straßenbahn oder einen U-Bahn-Zug sieht. Der Junge hat Recht. Sie können nicht umkehren. Morgens laufen etliche Arbeitgeber und vor allem Arbeitnehmer auf der Schönhauser Allee an uns vorüber. Unausgeschlafen, aber fest entschlossen, heute noch ihre Arbeitsplätze zu erreichen, ihre Fabriken, Baustellen, Büros. Es sind auch Geologen, sie können nicht umkehren – geht nicht.

Am Ende unseres Weges am Arnimplatz sitzt seit Ewigkeiten ein alter Mann schief auf einer Bank. Zwischen seinen Beinen steht eine Plastiktüte, in der er das Lebensnotwendige hat. »Schau ihm nicht in die Augen«, sage ich jedes Mal zu mir selbst, aber schon wieder treffen sich unsere Blicke. Mein betrübter und sein heller schlauer Blick eines Paranoikers, der das Leben verstanden hat und nicht mehr aufhören kann, immer weiter, immer weiter das ganze Leben zu verstehen. Er ist verloren für die Gesellschaft.

»Halte durch, Geolog!«, singt Sebastian ihm vor. »Gib nicht auf, Geolog! Du bist des Windes und Sturmes Freund!« Der Geologe wird ein wenig vom Wind gebeutelt, hält aber durch.

Der Fünftklässler

Den ganzen Tag klopften Leute an meine Tür. Bereits um zehn Uhr klingelten drei Zehnjährige, schwenkten eine Blechbüchse vor meiner Nase und behaupteten, sie würden Geld für die Restaurierung des Kollwitzplatzes sammeln. Ihre Augen strahlten wilde Entschlossenheit aus. Wahrscheinlich waren die Jungs schon lange unterwegs und mittlerweile auf alles gefasst. Diese Kinder erinnerten mich an meine eigene stürmische Jugend, auch wir haben damals die Zeit nicht sinnlos in der Schule vergeudet, sondern haben…hm… na ja… also gab ich den Jungs drei Euro. Daraufhin glaubten sie, in mir den richtigen Sponsor gefunden zu haben, und wollten gleich auch noch für die Renovierung des Falkplatzes abkassieren. Ich verabschiedete sie. Danach kamen zwei Erwachsene in gut gebügelten Anzügen und übergaben mir zwei frische Ausgaben der Zeitschrift »Wachtturm« mit der Überschrift: »Die Probleme der Menschheit werden bald enden!«

»Kommen Sie danach auch noch?«, fragte ich.

»Das können wir Ihnen gerne erklären«, meinten die beiden. Ich hatte aber keine Zeit, mit ihnen über die Probleme der Menschen zu diskutieren. Vor zwei Monaten hatte ich leichtsinnigerweise versprochen, an einer skurrilen Veranstaltung teilzunehmen. In einer Berliner Grundschule sollte ich mich mit Fünftklässlern treffen. Diese Begegnung würde im Schulfach Deutsch in der Unterrichtseinheit »Ein Treffen mit einem lebendigen Schriftsteller« stattfinden, sagte die Schulleiterin zu mir, die Schüler hätten bereits seit Wochen ihre Fragen vorbereitet. Jetzt musste ich hin.

Ich war aufgeregt. Das letzte Mal hatte ich eine Schulklasse von innen in Moskau vor fünfundzwanzig Jahren gesehen. Als ich nun wieder einen Klassenraum betrat, musste ich feststellen: Viel hatte sich nicht verändert. Diesmal sollte ich jedoch am Lehrertisch Platz nehmen. Ich versuchte, eine möglichst ernsthafte Miene zu machen. Alle Schüler hatten bunte Schildchen mit ihren Namen vor sich auf dem Tisch stehen. Es sah aus wie auf einer UNO-Konferenz. Die Kinder guckten in ihre Unterlagen und hielten die Hände hoch.

»Ihr könnt einfach so mit mir reden, ohne euch zu melden«, eröffnete ich das Gespräch.

»Aber nein«, meinte die Lehrerin, »die Kinder müssen lernen, wie anständige Menschen zu kommunizieren. Ich zeige Ihnen, wie es geht.«

Sie zeigte mir, wie es geht. Also machte ich ein ernstes Gesicht und sagte: »Bitte, Saskia!«

Saskia stand auf und fragte: »Wann haben Sie beschlossen, Schriftsteller zu werden?«

»Vor viereinhalb Jahren«, antwortete ich. Die Kinder notierten sich meine Antwort in ihren Heften. »Bitte, Simon!«

Der dicke Simon stand auf. »Wann haben Sie beschlossen, Schriftsteller zu werden?«

»Mensch, Junge, das hatten wir bereits!«, regte sich die Lehrerin auf. Simon schaute missmutig in sein Heft und schnaubte.

»Vor viereinhalb Jahren«, sagte ich noch einmal. »Bitte, Franziska!« Ich kam mir unglaublich blöd vor.

»Was ist Ihr Lieblingsfilm?«

»*Eight Mile.*«

»Ihr Lieblingsschauspieler?«

»Eminem.«

»Schreiben Sie Horrorgeschichten?«

»Sehr selten.«

»Was ist Ihr Lieblingsfilm?«

»Hatten wir schon!«, brüllte die halbe Klasse.

»Wann haben Sie beschlossen…«

»Hatten wir schon!« Der Pechvogel versank sofort hinter seinem Tisch.

Erst nach zwanzig Minuten merkte ich, dass wir eigentlich die ganze Zeit eine Art Bingo für Anfänger spielten. Dann war ich dran und suchte heftig nach der blödesten Frage, die ich den Kindern stellen konnte. Bei uns war das früher immer die Frage gewesen: »Was willst du denn später mal werden, Junge?« Ich hatte damals immer das darauf geantwortet, was der Frager meiner Meinung nach hören wollte. Zu Lehrern sagte ich: »Ich wäre gern Lehrer«, zu meinem Vater sagte ich: »Vater«, zu unserem Nachbarn, der Alkoholiker war, sagte ich: »Schnapsbrenner«. Die Erwachsenen schauten mich meist mitleidig an und schwiegen. Nun war ich in der Rolle des Erwachsenen. Wurde auch langsam Zeit, dachte ich, holte tief Luft und fragte mit einem finsteren Gesichtsausdruck: »Was wollt ihr denn eigentlich werden, Kinder? Bitte, Saskia, bitte, Simon, bitte, Franziska!«

Erstaunlicherweise wollte keiner von den Befragten Schriftsteller werden. Alle Mädchen in der Klasse hatten sich für intelligente, quasi bodenständige Berufe entschieden: Archäologin, Bergsteigerin und Gebärdensprachen-Dolmetscherin wollten sie werden, dazu ein anspruchsvolles Studium abschließen

26

und sich anschließend nach einer passenden Arbeits-
stelle umschauen. Die Jungs lebten dagegen noch in
der Fantasiewelt. »Sänger«, »Rapper«, »Fußballspie-
ler«, bekam ich zu hören und stellte mir vor, wie
zwanzig Jahre später die Gebärden-Dolmetscherin
nach einem langen anstrengenden Arbeitstag nach
Hause kommt und auf dem Sofa der Rapper-Fuß-
ballspieler mit einer Bierbüchse vor der Glotze sitzt.
Er guckt Tennis. Der Ball geht nach rechts, der Ball
geht nach links… Hätte er nur damals in der Schule
die richtige Entscheidung getroffen und sich für
einen soliden Beruf entschieden, Schriftsteller zum
Beispiel. Nun ist aber alles zu spät – der Ball geht
nach rechts, dann wieder nach links, dann wieder
nach rechts…

Das alles habe ich aber den Kindern nicht erzählt,
nur ein wenig in die Faust gehustet: »Ach, weißt du,
Simon, Fußballer ist ein harter Job. Du musst ständig Tore schießen. Das kann auf Dauer anstrengend
sein. Außerdem sind Fußballer so schnell aufge-
braucht, und was dann?«

»Na ja, dann kann ich ja immer noch Schriftsteller
werden«, meinte der Junge, »aber warum nicht zuerst
mal ein paar Tore schießen?«

Wir tranken eine Runde Früchtetee und wünschten
einander viel Glück. Auf dem Weg nach Hause über-

legte ich, dass Simon eigentlich Recht hatte. Und wenn ich mich genau erinnerte, wollte ich in seinem Alter eigentlich nichts anderes als Scharfschütze werden. Einmal habe ich sogar mit anderen angehenden Scharfschützen aus meiner Klasse mit einem Luftgewehr auf eine Gipsbüste des Schriftstellers Maxim Gorki geschossen, so lange, bis ihm ein Ohr abfiel.

»Aber diese Zeiten sind längst vorbei«, wie die dienstälteste Popsängerin der Sowjetunion Alla Pugatchowa einmal sang. Weiter heißt es bei ihr:

>   »Wohin geht unsere Kindheit?
>   Wie wird man plötzlich alt?
>   Wer das herausfindet
>   Der schweigt und schweigt und schweigt...
>   Sie geht auf leichten Füßen
>   Wenn alles schläft im Land
>   Und schreibt uns keine Briefe
>   Und ruft nicht mehr aaan...«

Sebastian
und die Ausländerbehörde

Seit einiger Zeit bekommt mein dreijähriger Sohn Briefe, die an ihn persönlich adressiert sind. Nicht irgendwelche Liebesbriefe von seinen Kita-Kumpeln, sondern offizielle Anschreiben von der Ausländerbehörde. »Sehr geehrter Herr Sebastian«, steht da, »seit beinahe drei Jahren befinden Sie sich illegal in Deutschland. Das geht so nicht, rufen Sie uns so schnell wie möglich an. Hochachtungsvoll, Spende.«

Sebastian hat vor kurzem das Telefon als neues Spielzeug entdeckt und ruft nun dauernd alle möglichen Leute an, indem er wahllos auf die Tasten drückt. Er hat schnell gelernt, dass hinter jeder Zahlenkombination im Telefon eine lustige Stimme steckt. Dann hört er aufmerksam zu, doch viel zu erzählen hat er noch nicht. Er grunzt nur freundlich und legt nach einiger Zeit wieder auf. So ein Telefongespräch wäre für Herrn Spende ein schwacher Trost. Also nahm ich die Sache selbst in die Hand und telefonierte mit der Ausländerbehörde. Herr Spende erwies sich als eine Frau.

»Sie wissen sicher, Herr Kaminer, dass jedes Kind in Deutschland spätestens fünf Monate nach seiner Geburt einen Kinderpass beantragen muss. Ihr Kind ist nun aber schon drei Jahre alt und hat sich noch immer nicht bei uns gemeldet.«

»Seien Sie nicht sauer, wir haben es einfach vergessen, weil er im Kindergarten noch nie nach dem Pass gefragt wurde, und mit der Polizei oder dem Grenzschutz hat Sebastian auch noch keinen Kontakt gehabt. Außerdem hatten wir sehr viel zu tun«, verteidigte ich mich.

»Wollen Sie mich veräppeln? Denken Sie, wir spielen hier nur Spielchen?«, erwiderte Frau Spende wütend.

»Nein, ganz bestimmt nicht. Ich fahre jetzt gleich zu Ihnen und beantrage für Sebastian einen Kinderpass«, versuchte ich die Frau zu beruhigen.

»Sie werden aber keinen Kinderpass für Ihren Sohn bekommen, weil Sie und Ihre Frau keine deutschen Staatsbürger sind. Also gilt auch Ihr Sohn als Ausländer und muss zuerst eine Aufenthaltsgenehmigung beantragen«, klärte mich Frau Spende auf.

»Aber er war doch noch gar nicht im Ausland, nur im Bauch seiner Mutter. Seit seiner Entbindung befindet sich Sebastian permanent in Deutschland. Selbst wenn er wollte, könnte er nicht verreisen, weil er, wie Sie ganz richtig schrieben, keinen Kinderpass besitzt«, entgegnete ich.

»Sie wollen mich schon wieder veräppeln«, meinte Frau Spende beleidigt.

Ich ahnte Schlimmes und fragte sie, ob ich den Antrag auf Erteilung einer Aufenthaltsgenehmigung nicht aus dem Internet herunterladen oder ihn per Post zugeschickt bekommen könne. »Weder noch«, war die knappe Antwort. Ich musste persönlich den Antrag abholen. Damit setzte ich mich dann zusammen mit Sebastian an den Schreibtisch. Der »Antrag auf Erteilung einer Aufenthaltsgenehmigung« bestand aus siebenundzwanzig Fragen, die alle ausführlich beantwortet werden sollten, wie Frau Spende im Gespräch mehrmals betont hatte.

Die ersten zehn Fragen betrafen Sebastians Familienverhältnisse: seine Vorstrafen, Ex-Ehefrauen und früheren Staatsangehörigkeiten. Ich beantwortete sie schlicht mit der Bemerkung »Kind«. Ab der zwanzigsten Frage wurde es richtig problematisch.

»Was ist der Zweck Ihres Aufenthaltes in der Bundesrepublik Deutschland?«, las ich Sebastian laut vor. Er grunzte. Er hatte den Zweck seines Aufenthaltes hier noch nicht kapiert. In dem Antrag gab es fünf verschiedene Antworten auf diese Frage: Besuch, Touristenreise, Studium, Arbeitsaufnahme, usw. Nach langem Hin und Her entschieden wir uns für »usw.«.

»Wie lange beabsichtigen Sie in der Bundesrepublik zu bleiben?«, fragte ich meinen Sohn. Sebastian grunzte wieder begeistert. Ihm gefiel das Ausfüllen des Antrags, aber er wollte trotzdem lieber »wilde Ferkeljagd« mit mir spielen. Das Spiel geht so: Sebastian versteckt sich als wildes Ferkel hinter einer Gardine, und ich muss als Jäger ganz leise auf Zehenspitzen durch die Wohnung laufen und nach dem wilden Ferkel rufen. Ihn quasi suchen, obwohl es gar nicht nötig ist, weil das Ferkel so laut grunzt, dass die richtige Gardine, hinter der es steckt, gar nicht zu verfehlen ist. Bei diesem Spiel amüsiert sich Sebastian über alle Maßen, und er kann gar nicht genug davon bekommen. Also schrieb ich »ewig« in den Antrag. Sofort kamen mir aber Zweifel: Ist »ewig« nicht doch ein wenig übertrieben? Ich strich das »ewig« durch und schrieb dafür »lange«.

»Haben Sie vor, eine Erwerbstätigkeit in der Bundesrepublik auszuüben?« Hmm… Ich schaute Sebastian tief in die Augen. Bisweilen sah es nicht danach aus, aber wer weiß… Ich schrieb vorsichtig »nicht ausgeschlossen« rein. Sebastian grunzte wieder.

Zwei Wochen später war ich wieder bei Frau Spende zu Gast. Sie las den Antrag durch und wurde wieder sauer.

»Sie wollen mich schon wieder veräppeln!«, sagte sie vorwurfsvoll. »Na gut«, meinte sie schließlich, »wir haben zwei Jahre auf Sie gewartet, jetzt werden Sie ein paar Stunden auf uns warten müssen.« Ich setzte mich in den Warteraum und nahm ein dickes Buch aus der Tasche. Doch Frau Spende erwies sich als guter Mensch und hervorragende Mitarbeiterin. Und diesen ganzen Quatsch mit den Anträgen hatte sie sich auch nicht selbst ausgedacht. Schon nach zwanzig Minuten wurde ich von ihr wieder hereingerufen und bekam gleich alles auf einmal in die Hand gedrückt: die Aufenthaltsgenehmigung für Sebastian und einen superdicken neuen Hardcover-Reisepass dazu. Jetzt können wir mit ihm um die ganze Welt fliegen.

Mein Vater, der Sportsfreund

Mein Großvater war einer der wenigen Männer, die aus dem Krieg zurückkamen, und genoss deswegen in seiner Heimatstadt einen besonderen Status. Von Montag bis Freitag schuftete er als Buchhalter in der Schuhfabrik, am Wochenende spielte er verrückt. Am Samstag gleich nach dem Frühstück trank er zuerst literweise selbst gebrannten Schnaps aus einem Bierglas, das er als Kriegstrophäe mitgebracht hatte, dann griff er nach seinen Pistolen – in jedem Haus gab es damals eine große Waffensammlung – und ging auf den Hof. Dort schoss er beidhändig die Äpfel von den Bäumen. Anschließend lief er durch die ganze Stadt zum Kulturklub, brach die Türen auf, setzte sich ans Klavier und spielte bis zum Umfallen Brahms. Seine Familie traute sich nicht, den Klub zu betreten, und wartete stattdessen so lange draußen, bis die wilden Akkorde nicht mehr zu hören waren. Erst dann trugen sie meinen Großvater vorsichtig

nach Hause zurück. Nach jedem dieser Wochen-
enden gab es ein paar neue Einschusslöcher in den
Häusern der Nachbarschaft. Trotzdem wurden die
regelmäßigen Amok-Konzerte meines Großvaters
von der Bevölkerung mit Verständnis aufgenommen.
Meinem Vater, der damals zwölf Jahre alt war, erklärte man: »Dein Papa treibt Sport.«

Trinken, schießen, in der Stadt rumlaufen und Klavier spielen – das war eine Art Vierkampf, den mein
Großvater bis zu seinem Tod 1976 betrieb. »Fit sein
macht Spaß!«, sagte er immer wieder zu seinem Sohn,
meinem Vater. Der erbte die Vorliebe des Großvaters
für unkonventionelle sportliche Leistungen und über-
nahm auch dessen Fitness-Devise. Als Junge interes-
sierte er sich jedoch zuerst für solch ortsübliche Sportarten wie Gymnastik und Gewichtheben und ließ
sich gleichzeitig in beiden Sportvereinen einschreiben.
Mein Vater sehnte sich nach Harmonie, nach Stärke
und Biegsamkeit. Doch diese zwei Sportarten harmo-
nierten nicht miteinander. Mein Vater wurde stets von
den anderen Sportlern verspottet. Die Turner nannten
ihn »fliegender Sarg«, und die Gewichtheber gaben
ihm den Spitznamen »Heuschrecke«.

»Du musst dich für das eine oder das andere entscheiden. Sonst wird aus dir nie was«, sagten die Trai-
ner zu ihm.

Irgendwann sah sich mein Vater gezwungen, sich nach neuen, ihm unbekannten Sportarten umzuschauen. Er spielte eine Zeit lang Handball, machte viele schmerzhafte Erfahrungen beim Boxen, wurde fast ein Jahr lang als Fechter an allen möglichen Stellen gestochen, fiel mehrmals vom Fahrrad, gab aber trotzdem nicht auf.

Im reifen Alter von vierundvierzig Jahren kam mein Vater auf die alte Idee des Großvaters, neue, ganz persönliche Sportarten für sich zu entwickeln, Dinge zusammenzuführen, die nicht zusammengehörten. Es war gerade die Zeit, in der alle anfingen zu joggen, und mein Vater machte daraus eine eigene Sportart: Jeden Sonntag ging er in seinen Turnschuhen und im Sportanzug auf die Rublewskojer Chaussee und lief die zwanzig Kilometer lange Strecke zum Restaurant *Jägerhaus*, das sich bereits außerhalb der Stadtgrenze befand und als sehr edel und teuer galt. Dort angekommen, bestellte mein Vater ein gebratenes Huhn, trank dreihundertfünfzig Gramm armenischen Cognac der Marke *Ararat* und ließ sich anschließend mit dem Taxi nach Hause chauffieren.

Wenig später entdeckte er die so genannte »Schwimmbadathletik« für sich, eine Sportart für Menschen mit starken Nerven. Als leidenschaftlicher Schwimmer brachte er sich eine Flasche *Ararat* mit, die ihn immer beim Sport begleitete. In der Schwimmhalle trank er zuerst zur Aufmunterung ein Glas Cognac, dann kletterte er auf das Sprungbrett, wartete, bis sich die Menschenmenge unten aufgelöst hatte, und rief dann: »Yahoo!« Mit diesem Aufschrei sprang er ins Wasser, die Hanteln in den Händen. Wie ein Tiefseetaucher bewegte er sich dann auf dem Boden des Schwimmbades von einer Wand zur anderen, bis ihm die Luft ausging. Dieser zweite Teil der Übung fiel bei meinem Vater unter »Atemgymnastik«. Danach ging er duschen, leerte die Cognac-Flasche und ließ sich mit einem Taxi nach Hause chauffieren.

Die Sportbegeisterung meines Vaters war sehr groß. Die anderen Besucher des Schwimmbades konnten mit seiner Schwimmbadathletik allerdings wenig anfangen, und auch seine »Atemgymnastik« schreckte sie irgendwie ab. Sie bekämpften meinen Vater mit allen möglichen Mitteln, schrieben Beschwerdebriefe an alle Instanzen, und eines Tages wurde meinem Vater sein Schwimmbad-Abo tatsächlich entzogen. Er wurde zum ersten und wahrscheinlich auch letzten Moskauer, der ein Schwimmhallenverbot bekam. Das hinderte ihn jedoch nicht daran, die Geschichte des Sports weiter mit immer neuen Sportarten zu bereichern. Erst als er in Rente ging und nach Deutschland übersiedelte, wurde mein Vater etwas ruhiger. Er treibt aber immer noch gerne Sport: joggt um die Wohnblocks und geht regelmäßig dreimal in der Woche um acht Uhr morgens in die Schwimmhalle am Ernst-Thälmann-Park.

Kürzlich nahm er darüber hinaus auch noch an einer »Radwanderung in die Dörfer des westlichen Barnim« teil, die der Vorruheständlerverein »Freizeit-stätte Carow-Nord« regelmäßig organisiert. Mein Vater dünkte sich anfänglich den deutschen Rent-nern fitnessmäßig überlegen, doch diese erwiesen sich als echte Rennfahrer. Mein Vater musste nur ein-mal kurz vom Fahrrad steigen, um zu pinkeln, und schon waren sie alle weg. Allein, ohne Handy und ohne Kompass, verlief er sich sofort im Dschungel des westlichen Barnim. Meine Mutter und ich mach-ten uns große Sorgen, als es dunkel wurde und er im-mer noch nicht bei sich zu Hause in Carow-Nord aufgekreuzt war.

Mehr als zwanzig Stunden brauchte mein Vater, bis er aus dem westlichen Barnim einen Radweg zurück in die Berliner Zivilisation gefunden hatte. Seitdem hat er zur »Freizeitstätte Carow-Nord« eine gespalte-ne Beziehung. Obwohl sie ihn immer wieder mit neu-en Ausflugsangeboten locken, geht er lieber wie in alten Zeiten schwimmen. In die Schwimmhalle am Ernst-Thälmann-Park nimmt mein Vater keine Hanteln mehr mit, von Kognak ganz zu schweigen. Höchstens ein Sechserpack *Berliner Kindl*. Trotzdem rennen alle auseinander, wenn mein Vater am Beckenrand erscheint: voll uniformiert mit einer wasserdichten Brille, einer wasserdichten Kappe und wasserdichter Uhr, dazu riesige grüne Schwimmflossen, die er noch aus Russland mitgebracht hat. Damit nimmt er noch im Duschbereich Anlauf. Durch die lebenslange Übung gelingt es ihm, seinem Körper eine erstaunliche Biegsamkeit und gleichzeitig eine beängstigende Schwerfälligkeit zu verleihen. Am Rand des Wasserbeckens springt er hoch, dreht sich mehrmals in der Luft, fuchtelt mit seinen grünen Flossen, schreit »Yahoo!« und rutscht ins Wasser. Alle älteren Schwimmer werden dabei von den Wellen ans Ufer geworfen und einige ungeschickte Grundschüler auf den Beckenboden gedrückt.

Der Kindergeburtstag

Andy, der ehemalige Kindergartengenosse unserer Tochter, feierte seinen siebten Geburtstag. Drei Kinder und sechs Erwachsene kamen zusammen, um dieses Ereignis zu feiern. Obwohl sich keine rechte Feierlaune einstellen wollte: Die allgemeine Nachdenklichkeit der Eltern, hervorgerufen durch eine endlose Schleife schlechter Nachrichten aus dem Fernsehen – der Krieg im Irak, die Terroranschläge in Europa –, diese Nachdenklichkeit also hatte sich merkwürdigerweise auch auf die Kinder übertragen. Sie saßen im Kinderzimmer auf dem Boden, waren leiser als sonst und halfen dem Geburtstagskind, seine Geschenke auszupacken: einen grünen Polizisten auf einem Motorrad mit mehreren Ersatzakkus, eine Plastik-Eisenbahn, ein Segelschiff mit Kanonen und Piraten und ein rotes Maschinengewehr.

Das wertvollste Geschenk hatte Andy, der besonders Dinosaurier mochte, von seiner Tante bekommen: eine lebende Schildkröte, die sich bereits im Kinderzimmer versteckt hatte. Dort, unter dem Kleiderschrank, versuchte sie ihren Kulturschock zu überwinden. Die Kinder legten vor dem Schrank Futter aus, um die Schildkröte zu zivilisieren. Die Erwachsenen tranken in der Küche Rotwein und Bier und unterhielten sich über den Kampf der Kulturen.

Die Mutter von Andy meinte, dass die Terroranschläge von einer Krise der islamischen Kultur zeugten. Der Glaube an eine fortschrittliche Entwicklung der islamistischen Staaten sei wacklig geworden, und so wurden die Gläubigen zu Fanatikern und schließlich Selbstmördern, um sich in ihrem Glauben zu bestärken. Andys Tante meinte dagegen, dass wir Europäer nicht im Stande seien, die arabischen Beweggründe nachzuvollziehen. »Ost ist Ost, und West ist West, und wir kommen nie zusammen«, meinte sie. Meine Frau, die über einige persönliche Erfahrungen mit dem Terrorismus in Tschetschenien verfügt, verdammte sicherheitshalber alle Kulturen und Zivilisationen samt ihrer Terroristen. Andys Vater, ein Bauingenieur, war der Meinung, man dürfe sich nun von den Problemen der anderen nicht mehr so abschotten. Die Erste Welt müsse die Dritte Welt nach unserem Vorbild modernisieren, um die eigene Demokratie zu retten. Besonderes wichtig seien Bildung und

Aufklärung, meinte er, wir müssten auf die Bildung der neuen Generationen in den arabischen Ländern Einfluss nehmen, sie also für unsere Lebensweise begeistern.

Die Kinder riefen uns ins Kinderzimmer: Sie hatten die Schildkröte gefangen und waren gerade dabei, sie voll zu modernisieren. Sie sollte nun ein aktives Mitglied ihrer Lebensgemeinschaft werden. Als Erstes schraubte Andy vier kleine Rädchen von seiner Eisenbahn ab und befestigte sie mit Klebeband an dem Panzer der Schildkröte. Dadurch sollte die Schildkröte auch an ihrer Bewegungsfreiheit in vollem Ausmaß teilnehmen können. Rein technisch gesehen hätte das gut funktionieren können. Die kleinen Rädchen bildeten genau den richtigen Abstand zwischen dem Reptil und dem Fußboden, sodass sie ohne große Anstrengung durch die Wohnung rollen konnte. Die derart modernisierte Schildkröte bewegte sich nun aber gar nicht mehr. Sie wirkte völlig paralysiert, also überhaupt nicht glücklich.

»Das ist Tierquälerei!«, entsetzte sich Andys Mutter. »Eine Schildkröte ist nun mal kein Porsche, für sie ist es total unorganisch, auf Rädern zu rollen. Macht sie sofort wieder ab!«

Andys Vater, der Bauingenieur, widersprach ihr: »Warte nur ab, die Schildkröte wird schon in den Genuss der Bewegungsfreiheit kommen und verdammt froh sein, rollen zu können! Sie braucht nur ein bisschen Zeit!«

Wir gingen zurück in die Küche, um weiter zu trinken und über den »Clash der Zivilisationen« zu diskutieren. Nach einer halben Stunde erschien Andy in der Küche und behauptete: »Die Schildkröte rollt jetzt!« Wir gingen ins Wohnzimmer. Erstaunlich, aber wahr: Die Schildkröte raste tatsächlich durch die Wohnung. Sie nahm sogar Anlauf, zog ihren Kopf ein und knallte gegen die Wände. Doch viel Spaß schien sie dabei nicht zu haben. An ihren chaotischen Bewegungen konnte man überhaupt nicht nachvollziehen, wohin sie wollte.

»Ich habe schon immer gesagt, eine fremde Kultur bleibt eine fremde Kultur, egal, wie man sie modernisiert«, stieß Andys Tante hervor.

Andys Vater gab sich nicht gleich geschlagen. »Alles Quatsch«, sagte er, »sie braucht einfach eine Bremse.«

»Au ja!«, schrien die Kinder. »Lass uns eine Bremse für die Schildkröte bauen.«

Zusammen mit den Kindern fing Andys Vater an, das Segelschiff auseinander zu nehmen. Wir anderen verdrückten uns in die Küche.

»Wenn man nur wüsste, was diesen fremden Kulturen tatsächlich fehlt«, seufzte die Tante. »Aber wir kennen sie gar nicht. Alle unsere Kenntnisse bestehen fast nur aus Urlaubserlebnissen in Tunesien, Algerien oder Marokko. Wir haben einfach keine Ahnung!«

Meine Frau plädierte des ungeachtet für gezielte militärische Anschläge. Es kam keine Einigkeit zu Stande.

Als wir nach einer Stunde wieder das Wohnzimmer betraten, um mit unserer Tochter nach Hause zu gehen, war die Schildkröte kaum noch als solche zu erkennen. Es hatte ein ungeheurer Modernisierungsschub stattgefunden. Außer den Rädern hatte sie nun oben auf dem Panzer noch ein Segel und hinten einen kleinen Ventilator zum Steuern sowie eine durchsichtige Plastikhülle um den Kopf, die wahrscheinlich die Rolle eines Airbags spielen sollte. Sie war damit eindeutig übermodernisiert, bewegte sich nicht von der Stelle und guckte böse. Die Schildkröte lehnte demonstrativ alle Werte unserer westlichen Zivilisation ab, die Schnellbewegungsfreiheit ebenso wie alle Sicherheitsmaßnahmen. Wahrscheinlich wollte sie einfach eine ganz normale Schildkröte sein, so eine wie du und ich.

Alle meine Terminatoren

Täglich lernen meine Kinder Neues über das Leben. Neulich lernten sie zum Beispiel die Uhrzeit. Sie erkannten hinter dem Pendel der Wanduhr, das man so leicht mit einem Pantoffelwurf zum Stoppen bringen kann, die Vergänglichkeit der Zeit, die trotzdem immer weiter läuft und jede Sekunde neu ist, obwohl sie der alten zum Verwechseln ähnlich bleibt. Dieses Wissen präsentierten sie mit einigem Stolz. Alle fünf Minuten rief Nicole zu mir ins Arbeitszimmer: »Frag mich doch, wie spät es ist!«

Ich war gerade mit meinem kaputten Computer beschäftigt, der ein eigenes Selbstbewusstsein entwickelt hatte und sich seitdem jedes Mal abschaltete, wenn ich etwas schreiben wollte. »Na gut, sag mir, wie spät es ist!«, rief ich aus dem Arbeitszimmer.

»Kurz vor acht!«, antwortete Nicole bedeutungsvoll, um nach fünf Minuten schon wieder zu fragen: »Und jetzt? Weißt du, wie spät es jetzt ist?«

»Es ist wahrscheinlich fünf Minuten später geworden«, vermutete ich.

Der Rest des Abends verlief zügig im Fünfminu-
tentakt. Draußen auf der Straße gingen die Kinobe-
sucher zu *Terminator 3 –Krieg der Maschinen*. Im Film
entwickeln die Computer auch ein eigenes Bewusstsein, nur anders als meiner schalten sie sich nicht aus,
sondern ein und metzeln die gesamte Menschheit
nieder. Mein Computer ist dafür zu faul und lernun-
fähig. Ich vermisse bei ihm den künstlichen Intellekt.
Er könnte, wenn er wollte, von mir lernen und selbst
lustige Geschichten aus dem Leben russischer oder
meinetwegen koreanischer Emigranten in Deutschland schreiben, und ich würde ihm Kaffee kochen
und Zigaretten anzünden. Doch die neuesten Erkenntnisse über künstliche Intelligenz legen nahe:
»Intelligence must have a body.« Und deswegen kann
sich zum Beispiel Schwarzenegger selbstständig um-
programmieren und mein doofer Schlepptop nicht.

Sebastian, der sich eigentlich nur für Pokémons
und Digimons interessiert, ist nun auch von Schwarzenegger stark beeindruckt – sein Body und seine Intelligenz lassen vermuten, dass er zu den coolsten Pokémons der Erde zählt. Aber Sebastian darf den Film
noch nicht sehen.

»Das ist ein Film für Kinder ab sechzehn, und du

bist erst halb fünf«, sagte Nicole zu ihm. Obwohl sie selbst erst kurz vor sieben ist, weiß das Mädchen über alles Bescheid. An diesen Kindern merke ich, wie schnell die Zeit vergeht: Eben war sie noch halb sechs, morgen muss sie schon zur Schule gehen. Man kann die Zeit nicht stoppen, aber durchaus etwas langsamer fließen lassen, wenn man sie nicht mit den Uhren und Kindern, sondern mit den Terminatoren misst.

Ich war Viertel nach achtzehn, als der erste in mein Leben trat. Damals hatte man in der Sowjetunion gerade Videoabspielgeräte erfunden. Das Modell »Elektronika WM12« eroberte schnell den sozialistischen Markt. Man konnte ihn in jedem Elektronikladen relativ preiswert kaufen. Allerdings gab es dazu keine Videofilme außer *Schwanensee* und *Peter der Große*. Die richtigen Streifen waren dagegen nur im Ausland oder auf dem Schwarzmarkt zu kriegen.

Mein Freund und Nachbar Alexander, der damals, obwohl auch erst Viertel nach achtzehn, schon alle Eigenschaften eines ausgewachsenen Geschäftsmannes besaß, eröffnete bei sich zu Hause einen illegalen Videosalon. Für drei Rubel konnte man bei ihm großes amerikanisches Kino sehen. Alex akzeptierte Gruppenrabatte, servierte kaltes Bier aus dem Kühlschrank und hatte drei Filme auf Lager: einen Bud-Spencer-Rülpser-Thriller, *Rambo – das erste Blut* und den *Terminator 1*. Seine Geschäftsidee sprach sich schnell in der Gegend herum, und unser korrupter Abschnittsbevollmächtigter – oder auf Westdeutsch: »Kontaktbereichsbeamter« – schaute regelmäßig bei Alexander vorbei. Er nahm sich ein Bier aus dem Kühlschrank, etwas Geld aus der Kasse und sagte zum Abschied jedes Mal: »Ich komme wieder«, woraus wir messerscharf schlossen, dass diese Dumpfbacke den *Terminator* ebenfalls gesehen hatte. »Auch den Bullen ist nichts Menschliches fremd«, philosophierte Alexander.

Dem zweiten Terminator begegnete ich sieben Jahre später in Berlin, 1991. Ich versuchte als Langzeitarbeitslosen-Azubi mit anderen Langzeitarbeitslosen im Prenzlauer Berg Kontakt aufzunehmen, um Erfahrungen auszutauschen. Zu diesem Zweck besuchte ich regelmäßig den Videoverleih in der Lychener Straße. Jeden Tag saßen dort am Tresen die Freunde des blutigen Actionfilms und diskutierten dort das Verhalten der für sie zuständigen Sachbearbeiter beim Sozialamt. Schwarzenegger schaute ihnen aus der Glotze zu. In dem Streifen wurde er umprogrammiert, um Menschen zu helfen. Aber nicht allen Menschen: denen in der Lychener Straße konnte er nicht helfen. »Hasta la vista, baby«, tröstete er sie.

Zwölf Jahre sind seitdem vergangen. Der *Termina-*

tor 3 kämpft nun auf der Seite aller Menschen. Sein Body und seine künstliche Intelligenz scheinen sich in den zwölf Jahren nicht wesentlich verändert zu haben, aber er sagt solche komischen Sätze wie: »Sprich zu der Hand!«, und schaltet sich plötzlich mitten im Film automatisch aus. Schlechte Software. Genau wie meine Kiste zu Hause.

»Die Maschinen werden immer dämlicher, wir werden siegen«, tippe ich in meinen Laptop. Es ist fünf nach Terminator drei, ich schalte alles aus.

Krieg und Frieden in der Bildung

Aufmerksam verfolgten wir die Debatte über die deutsche Bildung. Unsere Kinder, der Junge ist vier und das Mädchen sechs Jahre alt, werden bald auch in eine deutsche Schule gehen müssen. Den zahlreichen Medienberichten, die Angst und Schrecken vor dem deutschen Schulwesen verbreiteten, schenkten wir keinen Glauben, weil die Medien immer auf Krawall aus sind und oft und gerne übertreiben. Stattdessen sprachen wir mit unseren Nachbarn und mit Freunden und Bekannten, die Kinder im schulpflichtigen Alter haben. Wir wollten alles genau wissen. Wie blöd sind die deutschen Schüler wirklich? Wie gut sind sie bewaffnet? Was nehmen sie für Drogen?

»Alles halb so schlimm«, meinten unisono alle Eltern, »die Schule ist eben so, wie man sie aus der eigenen Kindheit kennt.« Ob in Moskau oder in Berlin mache keinen Unterschied. Wichtig sei allerdings, dass die Kinder bereits vor der Schule über bestimmte Kenntnisse verfügen, das heißt, dass sie zum Beispiel schon lesen, schreiben und rechnen können. Die Statistik zeige, dass Kinder, die im Vorschulalter rechnen und schreiben können, es auch noch nach der Schule tun – egal, wie dämlich diese war. Diese wichtige Kulturleistung müssten aber die Eltern ihnen persönlich beibringen – und nicht dem Staat überlassen, erklärten uns unsere Freunde.

Also kauften wir große Stapel Papier, Buntstifte und machten aus unserer Wohnung eine gemütliche Vorschule. Schon bald konnte Sebastian »Mama« schreiben und auch »Mamam«. Nicole verfasste sogar einen ganzen Liebesbrief an einen Freund aus der Kita: »Lieber Miron, bei uns im Keller gibt es fette Schaben, ich liebe dich. Nicole.« Auch bei den vier Grundrechenarten kamen die beiden ziemlich schnell voran. Sebastian konnte bis zehn, Nicole bis hundert zählen. Bald mischte sich die ganze Familie in den Unterricht ein, und Oma und Opa überschütteten ihre Enkelkinder mit immer neuen Rechenaufgaben: »Der Großvater hat innerhalb einer Woche drei Sechserpack Bier gekauft, wie viele Flaschen pro Tag säuft der Großvater also?«, fragte die Oma. »Die Großmutter verbringt jeden Tag sechs Stunden vor der Glotze«, konterte der Opa, »wie lange sieht die Großmutter pro Woche fern?«

Unsere Kinder lernten schnell. Nun, dachte ich, zum Wissensgut der neuen Generation gehört zweifellos auch der Umgang mit den interaktiven Medien. Die Kinder müssen ins Netz, bevor sie in die Schule gehen! Im russischen Internet fand ich dazu eine passende Seite: »Online-Lehrspiele für Kinder von 3 bis 6«. Das erste Spiel hieß: »Dein Geburtshaus brennt«. Eine blonde Krankenschwester musste möglichst viele Babys aus der brennenden Gynäkologie retten. Die Babys fielen aus den Fenstern, die Krankenschwester fing sie mit einem Tuch auf. Brennende Fernsehgeräte, große Steine und andere Dinge, die ebenfalls aus den Fenstern fielen, aber nicht wie Babys aussahen, sollte sie dagegen meiden. Bekam die Krankenschwester einen Fernseher auf den Kopf, musste sie eine Minute pausieren.

Ich bin eigentlich ein guter Spieler: Vor zehn Jahren erledigte ich haufenweise Ungeheuer im Computerspiel »Doom« und flog stundenlange Einsätze mit einer F117 gegen den Irak und Palästina. Von den möglichen dreißig Babys rettete ich locker fünfundzwanzig. Wenn aber zwei Babys gleichzeitig aus verschiedenen Fenstern fielen, machte eines davon »Plumps«, und auf dem Asphalt bildete sich eine blutrote Pfütze.

»Wo sind die Babys nach dem ›Plumps‹ hin?«, fragte meine Tochter mit zitternder Stimme.

»Keine Sorge, sie bleiben im Internet«, murmelte ich.

Auch die anderen Spiele erwiesen sich als absolute Schweinerei. In einem kam Graf Dracula aus dem Grab und grunzte wie ein Ferkel. Daraufhin bekam er von uns eine Ladung Silber direkt ins Herz und fiel in sein Grab zurück. Doch keine Sekunde verging, schon stand er wieder auf der Matte und grunzte. Die blöde Online-Sau war unsterblich. In dem dritten Spiel lief das gelbe Teletubby Lala Amok. Mit zwei Maschinengewehren in der Hand stürmte Lala das Teletubby-Häuschen und metzelte alle ihre Freunde nieder; sie wehrten sich nicht einmal und sagten nur jedes Mal »O-o!«, wenn sie getroffen wurden.

Der Lehrgang »Interaktive Medien« machte uns also keine große Freude und sorgte für einige schlaflose Nächte in der Familie. Die Kleinen hatten Angst vor Albträumen und blieben lange wach; ich nutzte die Nacht, um Dracula in Abwesenheit der Kinder bloßzustellen, mit anderen Waffen und anderen Strategien. Man muss alle Gefahren, die auf die Kinder in der Zukunft warten, gut kennen, nur dann ist man ein guter Vater, sagte ich mir – und ballerte weiter auf Dracula. Leider vergeblich. Er war tatsächlich unsterblich!

Das sexuelle Leben der Marfa K.

Unsere schöne Siamkatze Marfa aus Kasachstan wurde rollig. Der alternative Tierarzt im Prenzlauer Berg empfahl uns, der Katze, statt sie mit Beruhigungstabletten zu füttern oder sie gar zu sterilisieren, einfach einen Kater zu besorgen.

»Einmal im Leben«, sagte der Arzt und hob den Zeigefinger, »muss jeder eine sexuelle Erfahrung durchmachen. So etwas zu verbieten, wäre ein Verbrechen. Wenn Sie nicht wollen, dass Ihre Katze träge und apathisch wird und später durchdreht, dann suchen Sie ihr einen Partner.«

Der Arzt sprach mir aus der Seele, außerdem war unsere Katze wegen ihres andauernden Liebeskummers bereits am Durchdrehen. Sie lief nur noch rückwärts durch die Wohnung und hielt dabei ihren Po hoch. Unsere Kinder freuten sich und riefen immer wieder: »Schau mal, die Katze ist hinten krank!« Dabei versuchten sie ihr Leiden zu mildern, indem sie an ihrem Schwanz zogen, und machten dadurch alles noch viel schlimmer.

Auf einer Familienversammlung wurde beschlossen, einen Siamkater für Marfa zu besorgen. Ich rief bei einem Freund an, der in der Annoncenabteilung einer russischen Zeitung arbeitete, schilderte ihm die Situation und bat um Hilfe. »Alles klar«, meinte mein Freund. Am nächsten Tag stand in der Zeitung unter der Rubrik »Tiere«: »Geiles Siamkätzchen sucht soliden Siamkater für gemeinsame Stunden.« Und darunter unsere Telefonnummer. Mir schien diese Anzeige jedoch nicht ernsthaft genug. Also rief ich wieder bei der Zeitung an und erklärte ihnen, dass wir eigentlich keine Sexorgie für unsere Katze bestellen wollten, sondern die durchaus ernste Absicht hatten, einen echten Freund für Marfa zu finden, damit sie ihren Spaß habe und Babys bekomme. Die Annonce wurde geändert. Nun hieß es: »Russische Siamkatze mit ernsten Absichten sucht guten Freund zum Kinderkriegen.«

Nach zwei Tagen kam der erste Anruf:

»Haben Sie ein Katerchen gefunden?«, fragte uns eine ältere Dame.

»Nein, noch nicht«, sagten wir.

»Sie werden auch keinen finden«, meinte die Dame, »weil es in dieser Stadt keine anständigen Siamkater gibt. Mein Perser ist aber auch sehr schön und außerdem sehr zuverlässig. Alle Mädels zittern vor Begeisterung.«

Wir wollten aber doch lieber einen Siamkater.

Einen Tag später rief eine andere Frau mit derselben Frage bei uns an: »Haben Sie schon ein Katerchen gefunden? Schade, ich hätte so gerne ein kleines Siambaby gehabt. Darf ich in drei Monaten noch mal anrufen?« Diese unverschämte Frage mussten wir uns noch fünf Mal anhören – alle Anruferinnen waren scharf auf Marfas Nachkommen. Erst nach zwei Wochen meldete sich ein Thomas aus Charlottenburg; bei ihm handelte es sich um einen echten Siamkater mit hervorragenden Referenzen. Thomas, so meinte sein Besitzer stolz, hätte schon mehrere Katzen glücklich gemacht, sei ein großer Spezialist und könne immer. Doch unsere sensible Katze rollte zu diesem Zeitpunkt gar nicht mehr. Wir notierten die Telefonnummer von Thomas – für alle Fälle – und wandten uns wieder unserem Alltag zu. Irgendwie ahnten wir jedoch, dass wir die Hilfe von Thomas noch in Anspruch nehmen würden. »Rufen Sie uns jederzeit an, wenn Bedarf besteht«, hatte der Katzenfreund aus Charlottenburg gesagt.

Und tatsächlich: Schon nach einem Monat erschienen unsere Kinder froh gestimmt in der Küche, um uns mitzuteilen, das Marfa wieder »am Po« krank sei. Wir riefen den Mann aus Charlottenburg an. Er fuhr sofort mit dem Auto zu uns, auf seinen Schultern saß Thomas mit dem Hintern nach vorne. Seine Referenzen waren nicht zu übersehen.

»Schauen Sie sich diese Eier an«, prahlte der Besitzer, als wären es seine. »Aus eigener Erfahrung kann ich Ihnen sagen, dass es ungefähr drei Tage dauern wird, bis das Werk vollendet ist, dann hole ich Thomas wieder ab. Ich wünsche Ihnen viel Spaß.« Der Mann aus Charlottenburg zwinkerte uns schelmisch zu, als wären wir diejenigen, die sich von Thomas vögeln lassen sollten. Dann verschwand er.

Thomas fühlte sich bei uns sofort wie zu Hause. Er wusste genau, was zu tun war. Mit lautem Gejammer ging er auf Marfa los, die sich daraufhin unter dem Kleiderschrank versteckte. Thomas ließ jedoch nicht locker und nahm die Verfolgung auf. Stunde um Stunde rannten die beiden durch die Wohnung und schrien sich dabei an. Die Blumenvase mit altdeutschen Motiven zerbrach, eine Gardine und ein Bild gingen zu Boden, eine Pflanze kippte vom Fensterbrett. »Gut, dass unsere Katze endlich einen echten Freund hat«, meinten die Kinder. Die ganze Nacht ging es so weiter. Am nächsten Tag wechselten die Tiere ihre Rollen. Nun jagte Marfa ihren Freund

Thomas durch die Wohnung. Er konnte sich nirgendwo vor ihr verstecken. Beide schienen viel Spaß
zu haben und sprangen auch mehrmals aufeinander.
Wir waren jedoch unsicher, ob dabei eine sexuelle
Handlung stattgefunden hatte, und fragten unseren
Nachbar Karsten, der aus unerfindlichen Gründen
alles über Katzen wusste.

»Das kann man an Marfas Nacken leicht feststellen«, meinte er. »Ein Kater beißt während des Aktes
der Katze nämlich in den Nacken – etwa so...« Karsten zeigte uns, wie der Kater es machen würde. Es
sah sehr überzeugend aus. Wir fingen Marfa und
untersuchten ihren Nacken, fanden aber keine Biss-
wunden. Unsere Katze sah nur wie eine große zotte-
lige Kugel aus, und an ihrem verwirrten Blick konnte man sehen, dass sie noch viel Zeit brauchen würde, um die Bekanntschaft mit Thomas seelisch zu
verarbeiten.

Am dritten Tag pisste Thomas unsere ganze Wohnung voll, unter anderem versaute er einen Stapel
wichtiger Dokumente auf meinem Schreibtisch. Das
geschah für uns völlig unerwartet. Wir riefen seinen
Besitzer in Charlottenburg an, der auch sofort kam
und Thomas in den Westen zurückbrachte. Als Gage
für dessen Leistung wollte er unbedingt ein Baby
haben, wenn es so weit wäre.

Unsere Wohnung sah nach der sexuellen Katzen-
revolution wie ein Schweinestall aus und stank auch
so. Mühsam versuchten wir, alles wieder in Ordnung
zu bringen. Abends kam Karsten zu Besuch.

»Na, hat der Kater schon überall hingepisst, auf
den Schreibtisch und so?«, erkundigte er sich.

»Woher weißt du das?«, fragten wir ihn erstaunt.

»Ich weiß es einfach«, er zuckte mit den Schultern.

Wahrscheinlich war an der Theorie der Wiedergeburt doch etwas Wahres dran und unser Nachbar tatsächlich in seinem früheren Leben ein Kater gewesen, wie wir schon länger gemutmaßt hatten.

Langsam kehrte wieder Ruhe in unsere Wohnung
ein. Marfa machte einen zufriedenen Eindruck, sie
saß auf dem Fernseher und vermisste ihren Freund
Thomas kein bisschen. Ihr sexuelles Leben ging
offensichtlich in eine neue Phase über: Sie wurde
schwanger. Zumindest dachten wir das. Susanne, die
Freundin von Karsten, meinte, wir sollten Marfa zur
Sicherheit noch einmal dem alternativen Tierarzt
vom Prenzlauer Berg zeigen, um uns zu vergewissern,
ob mit der Katze alles in Ordnung war.

Der Arzt schaute Marfa nur kurz in die Augen,
wandte sich zu uns und sagte: »Ihre Katze ist schwanger.«

»Danke, Doktor«, antworteten wir, »darauf sind wir

auch selbst gekommen. Ist das alles, was Sie uns zu sagen haben?«

Der Arzt überlegte kurz. »Sie wird ihre Babys wahrscheinlich in zwei Monaten bekommen, wie viele es werden, kann ich Ihnen aber noch nicht sagen. Irgendetwas zwischen zwei und sieben, schätze ich.«

Für diese Auskunft kassierte er zehn Euro.

Wir waren von der Leistung des Arztes nicht sehr beeindruckt, wussten jedoch nicht, was bei der Behandlung einer schwangeren Katze alles beachtet werden musste. Marfa benahm sich ruhig, guckte wie früher gerne die *Harald-Schmidt-Show* im Fernsehen, aß viel und wurde mit der Zeit ein wenig dicker. Zwei Monate später, wie der Arzt es prophezeit hatte, erbrach sie sich im Korridor und im Badezimmer und versteckte sich danach in unserem Kleiderschrank. Wir riefen Karsten an. »Es geht los«, meinte er.

In dieser Nacht gingen wir nicht schlafen. Um drei Uhr kam das erste Baby zur Welt, um halb sechs das zweite. Unsere Katze wurde wieder ganz dünn, sah aber nicht besonders glücklich aus. Abends, dreizehn Stunden später, schaute Susanne bei uns vorbei und meinte: »Da muss noch ein drittes Baby irgendwo stecken, deswegen ist Marfa so unruhig.« Wir schnappten uns die Katze und rannten wieder zur Tierarzt-Praxis, die nur noch eine halbe Stunde offen hatte. Der alternative Arzt saß in seinem Büro und aß einen Apfel. Er hob Marfas Schwanz, darunter sah man etwas Rosiges.

»Was ist das für ein Körperteil?«, fragte ihn meine Frau.

»Das ist eine kleine Zunge«, antwortete der Arzt, »Sie haben es gerade rechtzeitig geschafft, eine Stunde später, und Ihre Katze wäre tot gewesen.«

Keiner von uns hatte die Hoffnung, dass dieses Baby nach so vielen Stunden Dazwischensteckens noch am Leben wäre. Es war schon ganz blau, als der Arzt es aus Marfa herausholte. Doch der Doktor nahm diesen kleinen blauen Klumpen in die Hand, schleuderte ihn kräftig mehrmals durch die Luft, rieb ihn mit einem Betttuch ab, schüttelte und rüttelte ihn, bis der Klumpen anfing zu schreien. Danach kassierte der Arzt fünfzig Euro für die Operation und kehrte zu seinem Apfel zurück. Wir waren dieses Mal von seiner Leistung ganz begeistert: Marfa war am Leben, und alle drei Babys – zwei Mädchen und ein Junge – schienen gesund zu sein.

Als sie zwei Wochen alt wurden, holte ich sie nacheinander aus dem Kleiderschrank und taufte die ersten zwei auf die Namen »Karsten« und »Susanne«, um unsere Nachbarn zu ehren und zu verewigen. Das Spätgeborene taufte ich auf den Namen »Angela Davis«, weil dieses Baby eine komische Frisur hatte, so als hätte man es jeden Tag durch die Luft geschleudert. Abgesehen davon machte Angela einen leicht bescheuerten Eindruck. Ihre Geschwister konnte nichts auf der Welt von der Mutterbrust ablenken, sie aber blieb jedes Mal irgendwo auf halber Strecke stecken. Auch später, als die Katzen sich aus dem Schrank in die große weite Wohnwelt trauten, war Angela Davis immer diejenige, die dauernd verschwand und ständig Hilfe brauchte.

»Sie hat sich hinter dem Klo eingeklemmt«, riefen die Kinder, »wir müssen sie retten!« Am nächsten Tag hieß es: »Sie hat sich in die Gardine eingewickelt und findet nicht mehr raus! Schnell, wir müssen ihr helfen!« Diese Befreiungsaktionen für Angela Davis erinnerten mich stark an die Siebzigerjahre, als die Bilder dieser sympathischen Frau mit der unglaublichen Frisur alle sowjetischen Zeitungen schmückten, weil die bösen weißen Amerikaner sie in den Knast gesteckt hatten. Alle Russen wollten ihr damals raushelfen.

Unsere Babys wuchsen heran, nach zwei Monaten waren es schon keine Babys mehr. Der Besitzer des Katervaters bekam auf seinen Wunsch hin Susanne, Karsten wurde dem Bundespräsidenten geschenkt. Und Angela Davis blieb erst einmal bei ihrer Mama.

Dafür gab es viele Gründe: Weil wir ihre Zunge wahrscheinlich nie vergessen werden, weil sie mich an die Siebzigerjahre erinnerte, und damit unsere Kinder durch die Wohnung rennen und immer mal wieder »Freiheit für Angela Davis!« schreien konnten.

Das Fernsehen in meinem Leben

Als Kind hatte ich selten Zugang zum Fernsehen. Das schwarz-weiße Fernsehgerät der Marke Regenbogen hatte mein Vater in seiner Gewalt. Man musste Nerven aus Stahl haben, um es mit ihm zusammen vor der Glotze auszuhalten. Mein Vater schaute immer dasselbe und kommentierte alle Sendungen auf seine ganz spezielle Art und sehr laut. Zu seinen Favoriten zählte die Sendung »Gesundheit« mit der intelligenten Moderatorin Frau Yulia Belanschikowa, die auf meinen Vater eine starke erotische Wirkung ausübte, egal, ob sie über Fußpilze oder über Rheuma sprach. »Tolle Titten!«, japste mein Vater jedes Mal begeistert.

Außerdem guckte er gern die berühmte sowjetische Fernsehserie »Siebzehn Augenblicke des Frühlings«, die jedes Jahr aufs Neue ausgestrahlt wurde. Es ging dabei um die Heldentaten eines sowjetischen Kundschafters in Nazi-Deutschland. Der Obersturmbannführer Stirlitz (in Wirklichkeit der sowjetische Oberst Isaew) muss sich die ganze Zeit anstrengen, um von den Nazis nicht entlarvt zu werden.

Diese Fernsehserie war mit Abstand die erfolgreichste in der Sowjetunion. Obwohl alle Protagonisten deutsche Namen trugen und stramme Nazis waren, erkannte der sowjetische Bürger in diesem Plot ohne Anstrengung die Atmosphäre und die Intrigen seines eigenen Betriebes wieder. Im Genossen Borman erkannte er seinen Chef der Parteizelle, im Gestapo-Hauptmann Müller seinen Gewerkschaftsvorsitzenden.

Meinen Vater amüsierte diese Serie über alle Maßen. Auch er wurde – genau wie Stirlitz – in seinem Betrieb oft von den Chefs schikaniert und durfte nicht laut sagen, was er dachte. Auch er fühlte sich oft wie ein Spion. Gern zitierte mein Vater deswegen kurze Sentenzen aus dem Film, indem er zum Beispiel wie Stirlitz laut in die Küche rief: »Bringen Sie mir Kaffee, Barbara!« Obwohl er ganz genau wusste, dass es in unserer Küche weder Kaffee noch eine Barbara gab.

An Feiertagen schaute mein Vater sich gerne die Militärparaden auf dem Roten Platz im Fernsehen an und zählte jedes Mal die Langstrecken-Raketen – in der Hoffnung, auf diese Weise die Innen- und Außenpolitik unseres großen Landes zu durchschauen. Ab einundzwanzig Uhr war bei uns zu Hause Stille angesagt, das galt auch für den Fernseher, weil mein Vater sehr früh aufstehen musste, um zur Arbeit zu gehen.

Von dem nicht besonders bunten Fernsehprogramm der Sowjetzeit blieben mir so nur die Filme mit Untertiteln für Gehörlose in Erinnerung, die man auch ohne Ton verstehen konnte. Danach wurden Lehrsendungen ausgestrahlt, immer ab fünfzehn Uhr, wenn ich gerade von der Schule nach Hause kam. Die Programme hießen »Die harte Nuß des Wissens« oder »Mach es dir selber«. Als ich vor zwölf Jahren nach Deutschland umzog, beschloss ich, mir endlich ein eigenes Fernsehgerät zuzulegen, und kaufte bei *Kaiser's* einen *Panasonic* im Sonderangebot für vierhundertneunundneunzig DM. Das war 1991. In der hiesigen Fernsehlandschaft fand ich schnell die einheimische Variante von »Mach es dir selber«. Sie hieß »MacGyver«. Jahrelang verfolgte ich diese Serie und kaufte mir sogar ein Zippo-Feuerzeug, ein Klappmesser und ein Hanfseil, um wie MacGyver auf alles im Leben gefasst zu sein.

1996 wurde ich jedoch Vater und musste bald danach schon die Glotze den Kindern überlassen, damit sie ihre russischen und amerikanischen Zeichentrickfilme auf Video anschauen konnten. Sehr traurig hat es mich nicht gemacht. Zu diesem Zeitpunkt wurde die MacGyver-Serie sowieso eingestellt. Tagsüber laufen bei uns nun ausschließlich Zeichentrickfilme, und abends, wenn die Kinder schlafen, haben wir Erwachsene erst recht keine Lust mehr fernzusehen. Lieber gehen wir ins Kino oder laden interessante Gäste ein und machen bei uns in der Küche eine Talkshow mit Alkohol. Unsere Kinder betrachten deswegen das Fernsehgerät zu Recht als ihr eigenes Spielzeug. Dabei wissen sie nicht einmal, dass es in der Glotze außer Tom und Jerry noch ganz andere Gestalten gibt.

Werbung für Eltern

Für die Erwachsenen mag Fernsehen keine Gefahr mehr darstellen, und jemand, der zum Beispiel eine Stefan-Raab-Show gesehen hat und aus dem trotzdem kein Mörder wurde, der ist gegen das Fernsehen sowieso geimpft. Ihn kann keine Sendung mehr aus der Fassung bringen.

Ganz anders ist es bei kleinen Kindern. Sie haben noch keine große Fernseherfahrung und nehmen alles sehr ernst. Das kann Folgen für die ganze Familie haben. Einmal passten wir nicht richtig auf, während unsere Kinder eine Werbesendung auf dem Kinderkanal sahen. Eine halbe Stunde lang zeigte dort der Moderator verschiedene Puppen, Dollys und Mollys, und erzählte dazu mit süßlicher Stimme, was die eine und andere Puppe so alles machen könnte. Das war für unsere Kinder nichts Neues, jeder weiß, wie vielseitig die Puppen von heute sind, sie können praktisch alles. Nicht das Spielzeug selbst, sondern die Art der Berichterstattung darüber beeindruckte unsere Kinder. Es war immerhin die erste Werbesendung, die sie sahen. Sofort fingen sie an, selbst für alle Dinge, mit denen sie in Berührung kamen, Werbespots zu entwickeln.

»Schauen Sie sich diese wunderbar eklige Nudel an«, sagte Nicole mit süßlicher Fernsehstimme beim Mittagessen, »man kann sie runterschlucken, aber auch ausspucken« – und dann spuckte sie eine Nudel gegen die Fensterscheibe.

»Und mit diesem wunderbar fruchtigen Saft kann man auch Blumen gießen«, meinte Sebastian.

Nach dem Essen gerieten meine Frau und ich in den Mittelpunkt ihrer Aufmerksamkeit. Sie fingen an, Werbung für Eltern zu machen. Als unsere Freundin Katja uns besuchte, bekam sie gleich einen Werbespot zu hören:

»Mein Vater kann alles«, sagte Sebastian zu ihr, »er kann sogar im Stehen pinkeln.«

»Nun, das ist aber wirklich nichts Besonderes«, seufzte Katja, »ich kenne viele Männer, die das können.«

»Mein Vater aber«, ließ Sebastian nicht locker, »kackt auch im Stehen.«

Diese Vorstellung verschlug Katja den Atem. »Das glaube ich nicht«, japste sie.

»Doch, doch, das kann er«, bestätigte meine Tochter Nicole stolz.

»Und meine Mutter«, erzählte Sebastian weiter, »hat riesige Löcher in ihren Ohren. Sie kann Schmuck, aber auch alle möglichen anderen Dinge da rein stecken.«

Unsere Proteste, sie sollten keine Lügen über ihre Eltern verbreiten, beeindruckten die Kinder wenig. Ihre Werbesendung lief den ganzen Abend weiter.

»Wer hätte gedacht, dass dieser harmlose Kinderkanal einen solchen Schaden anrichten kann«, meinte meine Frau bestürzt. Aber mit eiserner Hand stellten wir schließlich wieder Ruhe her und schickten die Kinder ins Bett. Nun dürfen sie nicht mehr werbefernsehen, und auch die private Werbung für Eltern gilt bei uns in der Familie als Tabu.

Mein Vater, der Zyniker

Mein Vater, so wie ich ihn kenne, war schon immer ein aufgeklärter Zyniker. In Bezug auf die Entwicklung der Menschheit war er sehr pessimistisch. Von der Liebe und anderen romantischen Dingen hielt er nichts. Seinen Zynismus predigte er gerne unter seinen Arbeitskollegen und Familienangehörigen. Ihm machte es Spaß, seine Umgebung über die miese Lage aufzuklären. »Die ganze Welt ist ein Eimer mit Dreck«, sagte er oft und gerne, »und wir alle müssen ununterbrochen in diesem Dreck hin und her schwimmen, um nicht unterzugehen.«

Auch seine politischen Ansichten waren durch seine negative Weltanschauung geprägt. Sein Zynismus hatte ihn zu einem ewigen Dissidenten gemacht. Mein Vater verabscheute den Sozialismus und hielt die sozialistische Planwirtschaft für Beschiss. Als der Sozialismus kippte und die freie Marktwirtschaft das Land eroberte, wurde der Kapitalismus von meinem

Vater auf dieselbe Art und Weise verurteilt. Doch am meisten forderten die Nachrichtensprecher im Fernsehen seine Boshaftigkeit heraus. Er wurde nicht müde, ihre Scheinheiligkeit zu entlarven. Es stand für ihn außer Frage, dass die Nachrichtensprecherin der Abendschau mit dem Fernsehdirektor schlief und nur deswegen diesen tollen Job bekommen hatte.

»Guck dir mal ihre Brüste an«, sagte mein Vater jedes Mal zu mir, wenn wir vor dem Fernseher saßen, »ohne diese Brüste wäre sie nie zu solch einem Job gekommen.«

Ich konnte auf dem Bildschirm gar keine Brüste erkennen. Selbst die Nachrichtensprecherin war kaum zu sehen, weil wir einen alten, halb kaputten Schwarzweißfernseher besaßen und der Empfang in unserem Arbeiterbezirk sehr schlecht war. Auf dem Bildschirm schneite es ununterbrochen, und das Bild rutschte ständig nach unten oder nach oben weg. Mein Vater sah aber immer alles, was er sehen wollte. Wenn der Nachrichtensprecher ein Mann war, dann sagte mein Vater: »Der bumst bestimmt die Frau des Fernsehdirektors. Sonst wäre er niemals zu diesem tollen Job gekommen. Guck dir nur seine Fresse an!« Ich ignorierte seine Bemerkungen und mochte ihn nicht wegen seiner Anzüglichkeiten verurteilen. Denn Schuld daran war selbstverständlich seine Umwelt, seine Freunde und nicht zuletzt seine Vergangenheit. Ich war mir sicher, dass mein Vater als Romantiker zur Welt gekommen war. Auch er sehnte sich als junger Mann nach einer großen Liebe und nach Heldentaten. Doch seine Träume wurden von seiner Umgebung zerstört, und irgendwann wurde aus einem blauäugigen Romantiker ein frustrierter Zyniker. Ich hörte mir die Geschichten über seine Jugendjahre in Odessa an und versuchte mir immer wieder vorzustellen, wann dieser Umschwung in seinem Leben stattgefunden hatte. Vielleicht nach seiner ersten großen Liebe?

Am Rande seiner Heimatstadt Odessa hatten sich einmal Zigeuner angesiedelt. Mein Vater war damals gerade achtzehn Jahre alt und ging täglich zur technischen Schule, die sich in der Nähe des Zigeunerlagers befand. Eines Tages lernte er auf dem Heimweg eine hübsche junge Zigeunerin kennen, die ihm seine Zukunft aus der Hand las. Die Vorbestimmung meines Vaters war: mit der jungen Zigeunerin sofort in Richtung Kiew abzuhauen und dort gemeinsam ein glückliches und erfülltes Leben zu führen. Dieses Schicksal begeisterte ihn sofort. Ohne eine Minute nachzudenken, rannte er nach Hause, holte aus der alten Matratze die gesamten Ersparnisse seiner Eltern und brannte mit der Wahrsagerin durch.

Die beiden kamen jedoch nicht bis Kiew. Sie landeten stattdessen auf Umwegen in dem gleichnamigen Restaurant in Odessa, wo sie einige schöne Stunden zusammen verbrachten. Am späten Abend wurden sie dort von den zornigen Verwandten der Zigeunerin entdeckt: Der Vater des Mädchens und ihre zwei Brüder sowie deren zahlreiche Freunde behaupteten, mein Vater habe das Mädchen gekidnappt. Mein Vater bestritt alles und war sofort bereit, das Mädchen zu heiraten. Es stellte sich aber heraus, dass die junge Zigeunerin bereits vergeben war – ihr Bräutigam war einer der Freunde.

Für diesen kurzen romantischen Ausflug bezahlte mein Vater mit einer Gehirnerschütterung, zwei gebrochenen Rippen und merkwürdigerweise mit einem Leistenbruch. Außerdem waren die Ersparnisse seiner Eltern futsch. Dieser Vorfall hinderte ihn jedoch nicht daran, sich noch mehrmals mit der hübschen Zigeunerin zu treffen, bis das Zigeunerlager irgendwann weiterzog. Trotz dieser niederschmetternden Erfahrung blieb mein Vater damals ein Romantiker.

Drei Jahre später bei der Armee verliebte er sich in die Tochter eines Offiziers. Sie war das einzige junge Mädchen in dem ganzen Militärstädtchen, und alle Soldaten waren mehr oder weniger in sie verliebt.

Mein Vater schickte ihr selbst verfasste Liebesgedichte und verbrachte lange Nächte unter dem Balkon der Offiziersfamilie. Zuletzt eroberte er dadurch das Herz des Mädchens tatsächlich. Sie trafen sich einige Male im Garten hinter dem Offiziershaus. Bis sie eines Nachts von dem Vater des Mädchens entdeckt wurden. Als Ergebnis dieses romantischen Abenteuers bekam mein Vater einen Tripper, musste zwei Wochen im Knast verbringen und bis zum Ende seiner Dienstzeit die Offizierstoiletten putzen. Er blieb jedoch auch weiterhin noch ein Romantiker.

Als ihn zehn Jahre später in Moskau eine schon leicht angetrunkene Frau in einer Kneipe ansprach und bat, sie vor ihrem wütenden Liebhaber zu schützen, überlegte er keine Sekunde, stand auf und ging an einen Tisch, an dem fünf Armenier saßen. Mit dem Satz: »Was habt ihr mit der Frau angestellt, ihr fetten Schwuchteln!«, machte er die Runde auf sich aufmerksam. Während die Männer über meinen Vater herfielen, trank die Frau sein Bier aus und klaute ihm auch noch seine fast neue Aktentasche. Mein Vater musste anschließend zum Arzt, um sich ein paar neue Zähne machen zu lassen, hatte aber seine romantische Lebenseinstellung anscheinend noch immer nicht eingebüßt.

Wenig später lernte er meine Mutter kennen. Ständig lud er sie ins Theater ein, und jeden Tag schenkte er ihr frische Blumen. Sie heirateten. Als ich kurze Zeit darauf geboren wurde, rannte er jeden Tag um sechs Uhr morgens zur Milchausgabestelle, um für mich eine zusätzliche Portion zu ergattern. Einmal, als unsere Nachbarin ihre Wohnungsschlüssel verloren hatte, kletterte mein Vater im Winter die Regenrinne hoch auf ihren Balkon im vierten Stock, um die Tür von innen zu öffnen. Es war lebensgefährlich und gar nicht notwendig, trotzdem tat mein romantischer Vater es gerne. Er war immer da, wenn jemand nach Hilfe rief, und wurde nie sauer, wenn man ihn ausnutzte. Wie kam es also, dass er sich dann doch zu einem solchen Zyniker entwickelte? Das staatliche Fernsehen muss schuld daran gewesen sein. Oder vielleicht kam es einfach mit der Zeit – von ganz alleine.

Menschenrechte

Viele meiner Verwandten haben in der Vergangenheit den totalitären Griff des sowjetischen Regimes kennen gelernt. Mein Großvater mütterlicherseits, der ein Armeeoffizier war, wurde kurz vor dem Krieg wegen des Verdachts verhaftet, an einer Offiziersverschwörung teilgenommen zu haben. Er verbrachte einige Monate in Untersuchungshaft. Meine Mutter, damals elf Jahre alt, ging jeden Tag zum Gefängnis, in der Hoffnung, ihren Vater zu sehen. Es gab wenig Aussicht auf seine Freilassung – eine solch großzügige Geste war beim Staat eine Seltenheit. Mein Großvater hatte aber großes Glück. Der damalige Chef des NKWD, Jeschow, wurde plötzlich selbst verhaftet: Man beschuldigte ihn des Staatsverrats. Im Gegenzug wurden alle seine Verhaftungsbefehle aufgehoben. Das hat meinem Großvater die Möglichkeit verschafft, nicht als Häftling in einem Lager, sondern zwei Jahre später als Offizier in der Schlacht bei Kursk zu sterben.

Mein Großvater väterlicherseits, ein Buchhalter, war schlauer: Er wechselte alle drei bis vier Jahre seinen Namen und seinen Wohnort. Auf die Weise kam er ungeschoren durch den Krieg und landete erst 1952 – wegen des Verdachts, an einer staatsfeindlichen Buchhalterverschwörung beteiligt zu sein – im Knast. Meine Tante, seine Tochter, erinnert sich noch immer zitternd an die nächtlichen Hausdurchsuchungen damals. Alles Geld, das komplette Geschirr und sämtliche Bettwäsche, sogar das Sparschwein meiner Tante, die damals ein siebenjähriges Mädchen war, wurden der Familie als Beweisstücke abgenommen. Sechs Monate später starb Stalin, und viele Inhaftierte kamen auf freien Fuß. Auch mein Großvater durfte nach Hause. Das Sparschwein kam jedoch nicht mehr zurück. Wahrscheinlich wurde mit ihm der weitere Aufbau des Sozialismus finanziert.

Seit zehn Jahren lebt nun meine Tante in einer demokratischen Gesellschaft in Berlin-Kreuzberg und meine Mutter in fast ebenso demokratischen Verhältnissen im Prenzlauer Berg. Neulich erfuhren sie, dass ich an einer Benefiz-Veranstaltung im Gorki-Theater teilnehmen sollte, die von Amnesty International organisiert wurde. Ich sollte dort ein paar traurige Geschichten über Russland vorlesen, weil diese Organisation sich in Zukunft verstärkt um Menschenrechtsverletzungen in Russland kümmern wollte und Geld dafür brauchte. Viele russische Künstler sagten ihre Teilnahme an dieser Veranstaltung zu.

»Das hört sich interessant an«, meinte meine Tante am Telefon, »das wird bestimmt eine lustige Geschichte, kannst du uns auf die Gästeliste setzen?«

»Natürlich«, sagte ich. »Aber mit dem Eintrittsgeld wird doch die Erhaltung der Menschenrechte in Russland, also in deiner Heimat, finanziert. Willst du dafür nichts spenden?«

Meine Tante lachte und meinte, ich solle sie nicht für dumm halten. Jeder sei für seine Menschenrechte selbst verantwortlich.

»Und auch meine Rechte werden jeden Tag mit Füßen getreten!«, fügte sie hinzu. »Das Recht auf Ruhe, oder das Recht auf Kleidung. Ich kann mir seit Jahren keine normale Bluse mehr kaufen, nicht bei *Karstadt* und nicht bei *Woolworth*, weil sie nur Müll produzieren.«

»Mensch, Tante!«, rief ich verblüfft ins Telefon. »Du lebst seit zehn Jahren in der Kreuzberger Demokratie und hast jeglichen Sinn für Realität verloren. Es geht hier nicht um solchen Kleinkram, sondern um die richtigen Menschenrechte, die aus dem Grundgesetz! Weißt du, was ich meine?«

Meine Tante dachte kurz nach und schnaubte.

»Natürlich weiß ich es, klar – die richtigen, die stehen auch in der Bibel: nicht klauen, nicht töten...«

»Das sind Menschenpflichten«, klärte ich sie auf.

»Ach so, ich glaube, ich weiß jetzt, was du meinst.« Die Stimme meiner Tante wurde leise und ernst.

»Hmm, Freiheit?«

»Ja, Freiheit!«

Sie schnaubte noch einmal. »Brüderlichkeit oder so? Und mein Sparschwein sollen sie auch zurückbringen, ich glaube, das heißt Gerechtigkeit, oder?«

Teneriffa

Es geht uns gut in Berlin. Wir haben eine gut funktionierende Heizung zu Hause, viele wunderbare Bücher, die seit Jahren darauf warten, gelesen zu werden. Wir können zu Mittag essen, wann wir wollen, und wenn im Fernsehen abends nichts läuft, können wir immer noch aus dem Fenster auf die Schönhauser Allee gucken – irgendwas ist an unserer Kreuzung immer los. Unsere Kinder haben auch genug Spielzeug und Zeichentrickfilme vorrätig, um durchzuhalten, wenn der Kindergarten für zwei Wochen wegen Weihnachtsferien oder Windpocken schließt. An diese Lebensqualität gewöhnt man sich schnell und schätzt sie nicht mehr. Damit wir sie wieder vermissen können, fliegen wir einmal im Jahr in den Urlaub auf die Kanarischen Inseln. Wenn wir zurückkommen, schwören wir, unsere Wohnung nie wieder zu verlassen. Doch jedes Mal im Winter, wenn es kalt und dunkel wird, fängt das Ganze wieder von vorne an. Die Kinder brauchen Sonne und Wärme, sonst verlieren sie ihren Appetit, sagt meine Frau. Und die Sonne ist um diese Jahreszeit innerhalb der EU nur auf Teneriffa zu haben.

»Aber wir wollten doch nicht mehr am Pauschaltourismus teilnehmen«, erwidere ich. »Nach Teneriffa fahren um die Zeit doch nur Spießer, man verliert in so einer Massenabfertigung alle Freiheiten eines mündigen Bürgers und wird zu einem Trottel mit Videokamera degradiert.«

»Aber die Kinder brauchen nun mal Sonne und Wärme«, fährt meine Frau weiter fort, und schon ein paar Wochen später sitzen wir im Flugzeug und halten unseren Kindern die Papiertüten vor die Nasen. Der Urlaub kann beginnen. Nach sechs Stunden Flug mit einer Zwischenlandung in Düsseldorf und zwei voll gekotzten Tüten landen zweihundert Massentouristen aus Deutschland und wir mittendrin am Flughafen Teneriffa. Genau wie wir haben die meisten Massentouristen auch Kinder, denen in wackligen Räumen schlecht wird, und verlassen die Maschine ebenfalls mit vollen Kotztüten in der Hand. Am Flughafen strömen uns andere Massentouristen aus Deutschland entgegen. Sie sind braun gebrannt und haben ein dämliches Grinsen im Gesicht. Ihr Urlaub ist zu Ende, sie fliegen nach Hause. Schon morgen werden sie ihre Hawaii-Hemden und Pareo-Tücher im Kleiderschrank verstauen, ihre Bräune unter der Dusche abwaschen und wieder zu normalen Bürgern werden. Es findet ein kurzer Informationsaustausch statt:

»Ist in Berlin minus fünfzehn? Stimmt das?«

»In Hamburg war gestern minus zwanzig!«

»Und hier?«

»Alles Banane, dreiundzwanzig Grad.«

Wir gehen los, um zusätzliche Papiertüten für den Bustransfer zum Hotel zu besorgen. Die Reiseleiter versuchen, die Massentouristen zu zählen, ohne sie anzusprechen. Wir begrüßen den Busfahrer, er grüßt nicht zurück. Für die Einheimischen sind wir nur ein Job. Sie müssen uns hin- und herfahren, füttern, Bettwäsche wechseln und rechtzeitig nach Hause schicken. Wie auf einer Geflügelfarm – man grüßt dort auch nicht jedes Huhn persönlich, wenn es nicht gerade eine Biofarm ist.

In unserem Hotel wohnen wenig Deutsche, die Engländer sind eindeutig in der Überzahl. Wahrscheinlich liegt es an der Wirtschaftskrise, die angeblich gerade in Deutschland herrscht; möglich wäre aber auch, dass alle Deutschen sich in diesem Jahr gegen Teneriffa und für Gran Canaria entschieden haben. Die Wahrheit weiß nur TUI. Wir haben ein

Zimmer mit Blick auf den Ozean, es ist warm, fette spanische Turteltauben sonnen sich auf unserem Balkon. Wir begrüßen uns: Ola! Ola! Sie zeigen sich zahm und fliegen nicht weg.

Ein normaler Urlaubstag auf Teneriffa besteht aus zwei Mahlzeiten, einmal um neun und einmal um achtzehn Uhr. Zum Frühstück gibt es jeden Tag Omelett mit Käse und Schinken. Die Kinder aus allen EU-Staaten mögen dieses Gericht nicht, besonderes englische Kinder bespucken ihre Eltern mit Omelett, wobei sie nicht treffsicher sind und oft die Eltern aus anderen EU-Staaten treffen, uns zum Beispiel, und dadurch ein schlechtes Engländerbild bei uns erzeugen.

Nach dem Frühstück gehen wir zum Ozean, wo die Wellen zum Baden zu hoch sind und sich die meisten Urlauber nicht ins Wasser trauen. Die Sonne scheint, die Wellen schaukeln hin und her, die Engländer cremen ihre Tattoos ein. Afrikaner mit großen Taschen wandeln am Strand und bedrängen die Massentouristen. Sie sollen Goldketten, Designer-Sonnenbrillen und *Rolex*-Uhren kaufen.

Am Ufer ist es sehr laut, besonders in der Nähe des Kinderhauses, einem Kinderspielplatz, wo die Eltern für zehn Euro pro Stunde ihre Kinder lassen können, unter fachkundiger Aufsicht. Die Kinder klettern dort stundenlang irgendwelche Seile hoch und runter, viele sehen aus, als hätte man sie bereits vor Wochen abgegeben.

Nach drei Stunden am Strand gehen wir zum Swimmingpool, um unseren Kindern das Schwimmen beizubringen. Dort spielen die Engländer Wasser-Polo. Meine Frau hat von diesem Inselvolk die Nase voll und stellt die gewagte These auf, dass die Engländer auf Teneriffa dämlicher als die Deutschen und alle anderen EU-Völker sind. Ich widerspreche ihr. Um achtzehn Uhr scheint noch immer die Sonne, aber wir ziehen uns ins Hotelzimmer zurück, um uns zum Abendessen hübsch zu machen. Nach dem Abendessen gehen alle zur Minidisko, wo die Kinder unter der Führung eines einheimischen Animateurs jeden Abend zu dem Lied »I am a Musicman« tanzen. Der Animateur kann die Kinder in allen EU-Sprachen ansprechen, er hat sogar einige Sätze auf Norwegisch auf Lager. Nur Russisch kann er nicht, deswegen tanzen unsere Kinder immer einen anderen Tanz, aber das merkt keiner. Wenn mehr als dreißig Kinder im Alter von null bis sechzehn Jahren zusammen tanzen, kommt es auf den Rhythmus eh nicht an.

Um einundzwanzig Uhr ist die Minidisko zu Ende, die Kinder müssen ins Bett. Dann werden die Eltern von derselben Mannschaft animiert. Sie tanzen ein bisschen, spielen »Bingo« und »Wetten, dass«, wobei Freiwillige gesucht werden, die auf allen vieren über die Bühne krabbeln und innerhalb von zwei Minuten zwei Liter Sangria trinken können. Die Zuschauer sollen Wetten abschließen, wer gewinnt. Das ist allerdings schwer vorauszusagen, weil viele Urlauber im Saal so aussehen, als würden sie jeden Tag zu Hause üben. Meine Frau setzt dabei gern auf jüngere, tätowierte Engländer. Sie sind immer gut drauf und würden wahrscheinlich sogar zwei Kilo Hundekacke in zwei Minuten aufessen, um eine Wette zu gewinnen. Einmal hat sie jedoch verloren. Eine kleine schlaue Oma aus Sachsen, die zuerst vom überwiegend englischsprachigen Publikum belächelt wurde, schaffte es locker, gegen sechs junge Männer aus aller Welt zu gewinnen. Spätestens um Mitternacht müssen aber auch die Eltern ins Bett, damit sie rechtzeitig zum morgendlichen Omelett-Bespucken wieder auf der Matte stehen.

Bei solch strengem Tagesablauf kann sich ein Massentourist nur wenig Eigeninitiative erlauben. Er kann zum Beispiel eine Bildzeitung vom Vortag zum Frühstück mitnehmen, sie als eine Art Schirm gegen die Kinder benutzen und gleichzeitig die neuesten Nachrichten aus Deutschland studieren. Es sieht nicht gut aus: in Berlin minus achtzehn, in Hamburg die niedrigste Temperatur seit fünfundzwanzig Jahren. Meine Frau sammelt derweil weitere Beweise gegen die Engländer und favorisiert die Deutschen, ich suche eher nach Ähnlichkeiten zwischen den beiden Gruppen. Die Deutschen in unserem Hotel können zum Beispiel alle Englisch, die Engländer auch. Beide Nationen gönnen sich schon am frühen Vormittag ein zweites Bier. Beim Abendessen nehmen die Deutschen gerne ein paar Äpfel mit, die Engländer versuchen dagegen gleich eine ganze Ananas in die Hosentasche zu stecken. Am Strand spielen die Engländer Fußball, sie laufen wie die Irren dem Ball hinterher und hauen einander gelegentlich eine runter. Die Deutschen dagegen liegen ruhig auf ihren Luftmatratzen, sie cremen einander sorgfältig ein und lesen viel – dicke Bücher mit goldener Schrift auf dem Cover: *Harry Potter* und Dieter Bohlen.

Am dritten Tag treffen wir Verwandtschaft auf Teneriffa. Der Bruder meiner Frau, ein professioneller Kartenspieler, hat gerade in Moskau bei einem internationalen Pokerwettbewerb den ersten und zweiten Preis gewonnen und sich dafür eine Wohnung sowie einen zweiwöchigen Urlaub auf den Kanaren für seine Familie gekauft. Sergej pokert seit zwanzig Jahren auf der ganzen Welt, das Magazin *Europapoker* hat schon mehrmals über ihn berichtet.

Wir reden übers Wetter, in Moskau minus fünfundzwanzig Grad und in St. Petersburg die niedrigste Temperatur seit 1941...

»Wie kann man bei solchen Temperaturen überhaupt leben?«, frage ich ihn.

»Na ja, es kommt darauf an«, meint Sergej, »neulich hatte ich zu Kreuzdame, Kreuzneun und Kreuzbube gleich einen Joker gezogen – dann geht's...«

Meine Frau erzählt Neues von den Engländern, Sergej von den Russen, die eine klare Mehrheit in seinem Hotel bilden. Jedes Jahr kommen immer mehr unserer Landsleute auf die Kanarischen Inseln. Die Speisekarten in den Restaurants haben bereits eine russische Seite, und jeden Tag hören wir unsere Muttersprache am Strand. Nicht so oft wie in Berlin, aber immerhin. Drei Familien aus der sibirischen Gasstadt Nischnewartowsk strandeten die ganze Zeit direkt neben uns. Die Frauen lagen einfach da, die Männer versuchten, sich mit Bier zu versorgen, tranken aber schon unterwegs alles aus und kamen stets mit leeren Bechern an. Ein Vierjähriger aus Nischnewartowsk spielte mit unseren Kindern.

»Wie heißt du, Kleiner?«, fragte ihn meine Frau mehrmals. »Wie?«

Der Junge flüsterte ihr immer wieder seinen Namen ins Ohr. Meine Frau wurde nachdenklich.

»Und?«, fragte ich sie.

»Also ich weiß nicht, was ich denken soll. Der Junge heißt Luzifer«, meinte sie. »Er sagt nur ›Luzifer, Luzifer‹, vielleicht ist es eine neue Mode in Sibirien, den Kindern solche Namen zu geben.«

Am nächsten Tag stellten wir fest, dass Luzifer aus Nischnewartowsk nicht alle Buchstaben richtig ausspricht und in Wirklichkeit Iluscha heißt.

Die Zeit vergeht auf den Kanaren schnell. Man merkt es gar nicht, schon sind vierzehn Omeletts mit Käse und Schinken verdaut, vierzehn Minidiskos mit »I am a Musicman« abgetanzt und vierzehn Bildzeitungen vom Vortag gelesen. Wir packen unsere Sachen. Am Flughafen strömen uns neue Massentouristen entgegen. Es findet ein kurzer Erfahrungsaustausch statt.

»Und wie ist das Wetter in Berlin?«

»Minus dreizehn Grad. Und hier?«

»Seit zwei Wochen keine Wolken gesehen, nur die Verpflegung war Scheiße. Aber für die nächste Woche ist Regen angesagt!«

Was kümmert uns das? Wir fliegen nach Hause, die Sommerkleider kommen zurück in den Schrank, die Kinder zum Kindergarten und nie wieder Massentourismus, nie wieder Omelett. Obwohl, so schlimm war es doch gar nicht. Man gewöhnt sich an alles!

Playmobil

Zuerst war es nur ein kleiner Polizist. Damals, vor sieben Jahren, zogen meine Nachbarn weg, sie schleppten den ganzen Tag schwere Kartons die Treppen herunter und hinterließen allerlei Sachen, für die sie keine Verwendung mehr hatten, in der Hoffnung, dass ein anderer sie vielleicht brauchen könnte. Frau Palast aus dem dritten Stock bekam einen alten Sessel, eine Stehlampe und mehrere Kerzenständer. Ich hatte das plötzliche Gefühl, etwas Wichtiges verpasst zu haben, und nahm einen Playmobil-Polizisten aus der Kiste mit nach Hause, als Andenken an die Nachbarn, die ich kaum gekannt hatte. Damals wusste ich noch nicht, dass diese Figuren sich vermehren können. Der Polizist stand auf dem Fensterbrett in der Küche und beobachtete mich ständig mit seinen Polizeiaugen, die niemals zwinkerten.

Als ich heiratete und zweifacher Vater wurde, suchten meine Frau und ich nach einer Traumwohnung.

Wir zogen fünfmal um, bis wir die richtige fanden. In dieser Wohnung gab es für alle und alles Platz: egal, ob für Kleinkinder, die Verstecken spielten, zahme Haustiere oder wilde Verwandte aus Russland, die nur auf dem Boden mit dem Kopf nach Norden schlafen wollten. In unserer Traumwohnung kamen alle auf ihre Kosten. Bis die Playmobil-Invasion kam. Meine Kinder spielten mit dem Polizisten und fragten mich, ob es noch weitere davon gäbe. Also gingen wir zusammen in einen Spielzeugladen, um für ihn einen Bruder beziehungsweise eine Schwester zu kaufen. Seitdem ist unsere Wohnung nicht mehr wiederzuerkennen. Die ursprüngliche Teilung in Arbeits-, Gäste- und Kinderzimmer funktioniert nicht mehr, weil die verschiedenen Playmobil-Serien gleichmäßig über die gesamte Wohnfläche verteilt sind.

Im Arbeitszimmer zum Beispiel residiert der Königliche Hof; da darf überhaupt keiner mehr rein. Im Kinderzimmer hat sich die Autobahn- und Tierfarm-Serie etabliert. Zurzeit baut meine Tochter in dem so genannten Gästezimmer die neue Serie »Weihnachtskrippe« auf, die sie zu Weihnachten geschenkt bekommen hat. Diese Serie besteht inzwischen aus einem alten Mann, einer Wiege, einem Säugling, einem Esel, drei Schafen, einem Polizisten und einer Krankenschwester. Nicole hat dazu ihre eigene Ver-

sion des weihnachtlichen Geschehens entwickelt: Sie
hält den alten Mann für Gott und einen allein erziehenden Vater, wobei die anderen Figuren ihn unter-
stützen. Ich persönlich glaube, dass der Polizist und
die Krankenschwester sich verirrt haben und eigentlich zu einer anderen Serie gehören. Aber inzwischen
sind sie aus der Weihnachtskrippe nicht mehr wegzu-
denken.

Mein Sohn Sebastian mag dagegen nur bewaffnete Playmobil-Figuren, das heißt Piraten, Ritter und
Wikinger. Davon hat er eine ganze Armee im ehemaligen Schlafzimmer stationiert. Seine Armee ist sehr
mobil – sie kann die Kaserne schnell verlassen und
überall auftauchen, wo sie gebraucht wird. Ich habe
Sebastians Truppen schon im Badezimmer gesehen,
mit dem Auftrag, unsere Marfa auf dem Katzenklo
einzukesseln.

Manchmal nimmt Nicole die Dienste von Sebastians Armee in Anspruch. Wenn der allein erziehende
Vater nach vorne kippt, was oft passiert, weil sein
Bart vom Hersteller falsch proportioniert wurde und
zu schwer ist, dann ruft Nicole ihren Bruder: »Sebastian, Gott ist krank!«

»Ich komme sofort!«, ruft Sebastian zurück, und
innerhalb von zehn Minuten wird das Gästezimmer
von seiner Armee besetzt. Sebastian hilft dem Alten

auf die Beine und schwört Rache. »Wer hat das ge- macht?«, fragt er.

»Die Krankenschwester hat ihn geschubst«, erklärt Nicole.

Sebastian startet sofort eine Offensive gegen die Krankenschwester, sie wird mit aller Härte nieder- gemetzelt und sogar mit Motorrädern aus der Luft bombardiert. Danach zieht sich die Armee wieder ins Schlafzimmer zurück.

Ich versuche tagsüber, die Küche nicht zu verlas- sen. Nur dort kann man in Ruhe rauchen und lesen. Außerdem kann man kaum mehr einen Schritt durch die Wohnung wagen, ohne irgendein Playmobil-Le- ben zu zerstören. Erst abends, wenn die Kinder schla- fen gehen, nimmt meine Frau einen Besen und fegt alle Playmobil-Figuren zu einem großen Haufen zu- sammen. Dann kann man die ganze Nacht durch die Wohnung laufen.

Das dritte Krokodil

Manchmal bilde ich mir ein, ich würde meinen Sohn gut verstehen. Dann denke ich, ich könnte die Welt mit seinen Augen sehen: Du bist schon vier Jahre alt, also kein Baby mehr, und das meiste in deinem Spielzeugkasten ist kaputt. Die Autos haben keine Räder, der Teddybär hat ein Auge verloren, das Plastikschwert vom *Herrn der Ringe* ist an mehreren Stellen geknickt, im Tischfußball-Spiel fehlen mehrere Fußballer, und der Ball ist auch nicht mehr da. Aber das alles interessiert dich nicht mehr, denn du hast die Welt der Erwachsenen entdeckt, all die wunderbaren Spiele, die ihren Alltag bestimmen: Freundschaft, Liebe, Streit, Fernsehen, Internet, Musik, Bier, Mädchen.

Doch manchmal wirft diese Welt Fragen auf. Sebastians ältere Schwester geht schon in die Vorschule, sie kennt sich mittlerweile in der Welt der zwischenmenschlichen Beziehungen gut aus, und wenn sie Fragen hat, kann sie sich immer an ihre Mutter wenden, die in diesem Bereich ein Profi ist. Und zu wem soll der kleine Junge gehen, wenn er mit der Erwachsenenwelt nicht klarkommt? Zu mir natürlich. Macht er aber nicht. Sebastian glaubt, alles von vorneherein besser zu wissen als ich.

»Ich weiß«, sagte er neulich zu mir, »wie man ganz schnell ganz viele Kinder bekommt. Ich möchte zum Beispiel zehn Jungs und acht Mädchen haben.«

»Du weißt gar nichts, Junge«, konterte ich, »zum Glück hast du mich, ich werde dir alles erklären.«

Irgendwo hatte ich gelesen, dass die sexuelle Aufklärung am besten am Beispiel von Tieren funktioniert. Also fuhren wir am Wochenende in den Zoo. Mein Plan war, dort irgendwelche afrikanischen Kaninchen zu finden und Sebastian anhand dieser Kaninchen aufzuklären. Er wollte aber keine Kaninchen, sondern nur Krokodile sehen, die zurzeit zusammen mit Drachen und Dinosauriern seine Lieblingstiere sind. Sexuelle Aufklärung mit Krokodilen stellte ich mir kompliziert vor, aber versuchen konnte man es ja trotzdem. Wir gingen ins Aquarium. Drei Krokodile dümpelten im grünlich-trüben Wasser. Zwei bildeten eindeutig ein Pärchen, bei dem das eine mit offenem Maul auf dem anderen lag, die Augen geschlossen. Seine große weiße Zunge ragte heraus, was man als ein Zeichen von Ekstase deuten konnte. Das untere

Krokodil versuchte ab und zu sich zu befreien. Es wedelte mit dem Schwanz, zuckte mit dem Körper, hatte aber damit keinen Erfolg. Das dritte Krokodil kreiste nervös um die beiden herum.

»Hier haben wir also eine typische Krokodilfamilie«, begann ich Sebastian aufzuklären. »Wenn zwei Krokodile lange genug in demselben Wasser schwimmen, dann treffen sie irgendwann aufeinander, und schon wenig später legt Mama Krokodil ihre Eier ab. Aus diesen Eiern kommen dann neue kleine Krokodile heraus…«

»Und was ist mit dem dritten Krokodil?«, fragte Sebastian.

»Das dritte ist nur ein Nachbar, es hat mit der Sache nichts zu tun«, antwortete ich. »Also, die Mama setzt sich auf die Eier drauf, und der Papa besorgt ihr etwas zu essen, damit sie nicht verhungert…«

»Und das dritte Krokodil?« Sebastian gab nicht auf.

»Mensch, vergiss das dritte Krokodil! Es spielt gar keine Rolle, hat hier nichts zu suchen.« Das verdammte dritte Krokodil ließ sich sexuell nicht erklären.

»Junger Mann, wie können Sie einem Kind nur so einen Schwachsinn erzählen«, redete mich eine mollige Frau von der Seite an. »Die Krokodile sind doch keine Hühner, sie sind Kaltblüter und sitzen nicht auf den Eiern, sondern vergraben sie im Sand.«

Wer hat denn dich gefragt?, dachte ich, sagte aber: »Entschuldigung, das habe ich vergessen. Es stimmt natürlich. Sie vergraben ihre Eier im Sand. Das tun wir doch alle, nicht wahr? Vielen Dank für die Auskunft!«

»Guck mal, was das dritte macht!«, rief Sebastian laut.

Das dritte war auf das zweite zugeschwommen und arbeitete sich an ihm hoch. Daraufhin machte es das Maul auf und erstarrte. Die vermeintliche Mama von ganz unten hörte auf, herumzuwedeln. Alle drei schienen einander schon lange zu kennen. Diese verfluchten Krokodile taugten überhaupt nicht für die sexuelle Aufklärung, außerdem sahen alle drei zu maskulin aus. Selbst bei der angeblichen Mama hatte ich große Zweifel, ob es seine Eier jemals eingraben würde. Das nächste Mal gehen wir zu den Kaninchen, beschloss ich.

»Aber im Groben hast du doch verstanden, wie es geht?«, fragte ich auf alle Fälle meinen Sohn beim Nachhausegehen.

»Ja«, meinte Sebastian, »es ist doch viel umständlicher, als ich dachte.«

»Was du nicht sagst, Junge, was du nicht sagst«, seufzte ich erleichtert.

Vaters Geburtstag

Langsam, aber unausweichlich steuerte mein Vater auf seinen siebzigsten Geburtstag zu. Wie zu jedem Jahrestag wurde er drei Wochen vorher depressiv und wollte nicht feiern. Wir quälten uns mit der Frage, was wir ihm diesmal schenken sollten, damit sich seine Stimmung wieder hob. Sonst hatte er jedes Jahr eine Flasche Irgendwas von uns geschenkt bekommen. Dabei konnten wir sicher sein, dass unser Geschenk das Geburtstagskind erreichte: ob Whiskey, Wodka oder guter Wein, er bedankte sich und trank alles aus. Seine Laune wurde davon jedoch nicht besser.

Dieses Jahr wollten wir ihm deswegen etwas anderes, etwas Besonderes schenken. »Vielleicht einen Korkenzieher?«, schlug meine Frau vor. Auf der Suche nach dem richtigen Geschenk besuchten wir einen Edelramschladen in der Oranienburger Straße, der voller lustiger Sachen war. Allerdings wusste ich nicht so recht, ob ein springender Plastikpenis meinem Vater noch Freude bereiten würde. Auch die sprechende Fußmatte und das Kartoffelgewehr beeindruckten uns nicht richtig. Ich hatte vorher noch eine Lesung in Italien und dachte, vielleicht werde ich dort ein originelles Geschenk für meinen Vater finden. Ich rief ihn von dort aus an.

»Hallo, Papa, ich bin in Florenz!«

»Schön für dich.«

»Soll ich dir irgendetwas mitbringen?«

»Ja.«

»Und was?«

»Einen Kugelschreiber.«

Das war sein Standard-Geburtstagswunsch, der nichts als eine Provokation war. Mit leeren Händen flog ich zurück nach Berlin. Der Termin rückte immer näher, und wir waren immer noch ratlos. Also gingen wir zu einem russischen Lebensmittelladen, um dort eine große Flasche Wodka zu kaufen. Immerhin besser als nichts! Dort hing an der Wand ein Werbeplakat: »Die Schönheit rettet die Welt! Achtung, Männer! Neu auf dem Markt! Die ultimative Männercreme ›Gebrüder Klitschko‹ hilft gegen Stress und Depressionen. Sie bekommen eine ganz neue Haut und können wieder lachen!« Das klang sehr verlockend und schien genau das Richtige für meinen Vater zu sein.

Warum eigentlich nicht?, dachte ich und kaufte die Dose. Zu Hause las ich aufmerksam die Beschreibung: »Unglaublich zart und dramatisch feucht«, stand dort. Die wichtigste Komponente von »Gebrüder Klitschko« sei eine natürliche Pflanze aus Asien, die für eine sofortige Wirkung sorge. Die Pflanzenteile führten dem Organismus wichtige Wirkstoffe zu, die für gute Laune rund um die Uhr sorgten. Die Haut würde dabei immer praller, sie spanne sich und werde von innen gestrafft. Und das war noch nicht alles! Am Ende würde jeder eine nagelneue und gut riechende Haut bekommen. Ein tolles Geschenk, dachte ich.

Am Tag des Geburtstags wickelten wir die Dose »Gebrüder Klitschko« in Geschenkpapier und nahmen zusätzlich die große Flasche Wodka mit, für den Fall, dass mein Vater sich weigern würde, die Creme zu benutzen. Der Abend verlief relativ ruhig, mein Vater tat so, als würde er sich für Geschenke gar nicht interessieren. Irgendwann verabschiedeten wir uns. Um Mitternacht rief meine Mutter bei uns an und berichtete, mit dem Vater stimme etwas nicht. Nachdem wir gegangen waren, hatte er sofort die Packung geöffnet und sich gut die Hälfte der Dose ins Gesicht geschmiert. Zuerst juckte es höllisch und mein Vater sprang wie wild im Zimmer herum. Nach zwanzig

Minuten veränderte sich seine Haut. Sie wurde plötzlich ganz rot und glatt wie ein Luftballon. Die asiatische Pflanze schien zu wirken. Man konnte weder Falten noch Spuren von Stress auf dem Gesicht meines Vaters erkennen. Auch seine Depressionen waren plötzlich weg, im Gegenteil: Er kämpfte jetzt aktiv mit dem Pflanzenwirkstoff. Ein erster Versuch, die »Gebrüder Klitschko«-Creme zuerst mit Wasser und dann mit dem Wodka abzuwaschen, schlug fehl.

»Es muss aber doch irgendein Gegenmittel geben«, meinte meine Mutter verzweifelt.

Ich versprach ihr, gleich am nächsten Morgen im Laden nachzufragen. Doch am nächsten Tag bekam mein Vater eine ganz neue Haut, und daran ließ sich nichts mehr ändern. Nach einer Familienversammlung beschlossen wir, dass der Vater jetzt doch besser aussähe.

»Ein Glück, dass man nur einmal im Jahr Geburtstag hat«, meinte meine Frau abschließend.

Rotschwänzchen
am Tag der Liebesparade

Während irgendwo in der Stadt laute Musik brummte und gefiederte Teenager mit Trillerpfeifen ihre Liebesparade veranstalteten – das heißt um den Zoo herumzogen und die Elefanten unsicher machten –, war bei uns im Prenzlauer Berg wie immer nicht viel los. Die Kulturinteressierten versammelten sich in den Schönhauser Allee Arcaden. Dort war schon vor Wochen der Schönheitswettbewerb »Miss Prenzlauer Berg 2003« angekündigt worden. Mein Sohn Sebastian und ich gingen hin, um die Prinzessinnen zu bewundern. Große, zitternde Mädchen mit kleinen, ängstlichen Augen stiegen auf das Podium. Der Moderator las mit fröhlicher Stimme ihre Biografien vor, die sich nicht sonderlich voneinander unterschieden. Christina beziehungsweise Bettina, Alter achtzehn, Beruf Schülerin, Hobbys Zeichnen und Fitness. Auf die Gewinnerin wartete eine Krone aus Pappe. Wir pfiffen und jubelten, doch die Prinzessinnen würdigten uns nicht einmal eines Blickes. Sebastian guckte nachdenklich auf Bettina-Christina-Marina und sagte: »Lass uns zum Arnimplatz spielen gehen.«

Dort, auf dem Kinderspielplatz, saß nur ein Kind, ein Zehnjähriger mit einem Schlüsselbund an einem Band um den Hals. »Ich bin Florian«, sagte er.

Kleine schwarze Vögel sprangen im Park herum. Ich hatte sie vor kurzem mithilfe des Sachbuches *Was fliegt denn da?* als Amseln identifiziert: schwarze Kehle, graue Brust, Länge zwanzig Zentimeter, Warnruf *Pieps, pups*. Alles stimmte überein. Obwohl diese Beschreibung auch auf andere Vogelarten passte, auf Rotschwänzchen zum Beispiel. Irgendetwas sagte mir aber, dass es doch Amseln waren, obwohl sich ein paar Rotschwänzchen unter sie gemischt haben konnten. Laut *Was fliegt denn da?* hatten die Amsel-Rotschwänzchen eine Lebenserwartung von rund zwanzig Jahren. In der freien Natur hielten sie aber nur maximal drei bis vier Jahre durch. Die Vogelwelt war nicht gemütlich, das Böse lauerte hinter jedem Busch. Ein falscher Schritt, *pups, pieps*, und deine Lebenserwartung war futsch.

Ganz anders war es natürlich bei uns Menschen. Ich wäre zum Beispiel hundertfünfzig Jahre alt, behauptete jedenfalls Sebastian. Sein Spiel hieß »Alter Prinz, neuer Prinz«. Die Spielregeln waren recht einfach. Ich war hundertfünfzig, er war fünf, ich sollte ihn fangen. Ich verzichtete. Mit hundertfünfzig auf dem Buckel musste ich niemanden mehr fangen!

»Spiel doch mit Florian«, sagte ich zu ihm. Florian rannte über den Spielplatz, Sebastian hinterher, die Schlüssel knallten gegen Florians Brust. Ich entspannte mich auf der Bank. Die Jugend brachte den Zwang und Drang, das Alter Dösen und Erlösung. Auch ich hatte als Kind ständig irgendwelche Schlüssel um den Hals. Von der Wohnung, vom Keller, vom Fahrrad... Ich musste ständig irgendwas abschließen, aufschließen, abschließen...

Die Jugend war nicht verschwenderisch, sie war im Gegenteil habgierig. Aber heute, mit hundertfünfzig, schaute ich zurück: Alle Schlüssel waren verrostet, das Fahrrad vor einer Ewigkeit geklaut, das Haus planiert. Gebt mir eine Krücke! Und die neue Ausgabe des Sachbuches *Was fliegt denn da?*. Ich würde von dieser Bank aus die Vögel beobachten, die Amseln und Rotschwänzchen. Ursprünglich »Waldbewohner, jetzt nur noch in alten Parkanlagen oder auf Friedhöfen zu finden, schwarze Kehle, weiße Stirn, oft als Einzelgänger gesichtet, manchmal aber auch in Scharen...«

Sebastian hatte plötzlich Hunger. Wir verabschiedeten uns vom traurigen Florian und gingen in die

Schönhauser Allee Arcaden zurück. Der Schönheitswettbewerb war immer noch nicht zu Ende.

»Und jetzt die Nummer siebzehn, Annakarenina«, verkündete der Moderator. »Achtzehn Jahre alt, blondes Haar, Hobbys Fitness und Zeichnen.«

In einem Cafe im obersten Stock bestellte ich mir ein Wasser, Sebastian bekam wie immer Spaghetti mit Ketchup, Fischstäbchen mit Ketchup und eine Portion Ketchup ohne alles, dazu noch Cola, Fanta, Eis und Kuchen mit Schlagsahne. Zum Glück konnte er die Speisekarte nicht lesen, sonst hätte er den Rest auch noch bestellt. Die Jugend war habgierig, frech und regelmäßig mit Ketchup verschmiert. Das Alter übte Verzicht. Endlich hatten sie unten die »Miss Prenzlauer Berg« gewählt. Sie ging auf einer Winkeltreppe an uns vorbei nach oben. Dort, zwischen dem Himmel und dem Einkaufszentrum, befand sich ein Fitnessstudio. Ich war noch nie da gewesen. Nur von meinem Balkon aus hatte ich schon mehrmals beobachtet, wie dort hinter den Schaufenstern die Frauen auf Fahrrädern schwitzten. Sie traten kräftig in die Pedale, kamen aber nicht vom Fleck. Ihre Fahrräder hatten keine Räder, sie hatten keine Bremse und keine Lichter hinten und vorne, nur eine Tafel, die nicht zurückgelegte Kilometer anzeigte und ihre Herzfrequenz maß.

Sebastian wollte unbedingt die neue »Miss Prenzlauer Berg« kennen lernen.

»Warte erst mal ab«, riet ich ihm. »Lass sie weitermachen. In einem Jahr ist das Mädchen vielleicht Miss Germany, dann Miss Europa. Eines Tages kommt sie als Miss Universum in die Schönhauser Allee Arcaden zurück, und dann werden wir auf sie warten: Darf ich vorstellen: Miss Universum – Sebastian, Sebastian – Miss Universum. Dürfen wir Sie zum Essen einladen, Fischstäbchen mit Ketchup, Spaghetti Bolognese?« Sebastian nickte, er war bereit zu warten. Ich allerdings hatte meine »Miss Prenzlauer Berg« schon längst gewählt. Eine nette Brünette, die jede Nacht um drei, wenn alle schliefen, nackt, das heißt, nur mit einem Tanga bekleidet, auf einem Fahrrad an unseren Fenstern vorbeifuhr. Ihre großen Brüste wippten. Sie war keine Fata Morgana. Meine Frau hatte sie auch schon mehrmals gesehen. Mein Nachbar auch. Fast das ganze Haus. Nur Sebastian nicht, weil die tagsüber tobende Jugend abends plötzlich furchtbar müde war und um neun schon schlief.

Ab in die Schule

Ich gehe über die Schönhauser Allee. Links und rechts von mir sitzen entspannte Biertrinker in den zahlreichen Straßencafés. Einige kenne ich bereits, einige andere hätte ich jetzt zum Beispiel kennen lernen können. Sie winken mir zu, rufen: »He, Herr Kaminer, es ist Sommer, es ist warm, wo läufst du denn so eilig hin? Setz dich zu uns, trink ein Bier.« Ich winke ab. Fleißig und engagiert wie Pinocchio, gehe ich zum ersten Mal in die Schule, einem neuem Wissen entgegen, und keine Biertrinker werden mich von diesem Weg abbringen. Nur vom Alter her bin ich in diesem Märchen nicht Pinocchio. Ich bin sozusagen Meister Gepetto. In meiner Hosentasche liegt ein Brief:

»Liebe Eltern unserer zwei neuen ersten Klassen, wir laden Sie herzlich zu Ihrer ersten Elternversammlung in die Aula ein. Mit Grüßen – Ihre Schulleiterin.«

Ich komme zwar nicht zu spät, bin aber trotzdem der letzte der Eltern in der Aula. Alle anderen sitzen schon auf ihren Stühlen; sie halten Zettel und Stifte parat, um sich das Wichtigste zu notieren. Auch ich suche heftig in meinen Taschen nach Schreibwaren. Zigaretten, Feuerzeug, noch ein Feuerzeug, noch ein Feuerzeug... Die anderen Eltern gucken schon misstrauisch in meine Richtung, also packe ich alle meine sieben Feuerzeuge wieder ein. Ich hatte schon immer einen schlechten Start in der Schule.

»Liebe Eltern, Sie sind sicher aufgeregt, das kann ich gut nachvollziehen«, eröffnet die Schulleiterin das Gespräch. »Das ist verständlich. Immerhin gehen Ihre Kinder bald in die Schule, und das ist doch ein bisschen etwas anderes als der Kindergarten. Die Schüler werden bei uns zwanzig Stunden Unterricht in der Woche haben, Religionsunterricht und Lebenskunde sind freiwillig. Ich möchte Ihnen unsere Religionslehrer vorstellen: Der Mann mit dem roten Gesicht ist für die Katholiken, die Frau mit der Brille für die Evangelen zuständig. Wer sich dafür interessiert, kann sie nachher ansprechen. Und jetzt zu unserem eigentlichen Thema, der Einschulung. Problem Nummer eins – die Gäste. In verschiedenen Schulen wird das unterschiedlich gehandhabt. Wir haben eine generelle Regelung: maximal fünf Gäste pro Familie. Letztes

Jahr hatten einige Eltern bis zu sechzehn Gäste mitgebracht, das geht natürlich nicht. Problem Nummer
zwei: Schultüten. Die Schultüten geben Sie Ihren
Kindern vor dem Begrüßungsteil und nehmen sie
dann während des Konzerts der Vorklasse wieder zurück. Danach können Sie sie den Kindern noch einmal geben, wenn alles vorbei ist...«

Ich verstand kein Wort. Bei uns in der Sowjetunion
wurde die Einschulung überhaupt nicht gefeiert.
Mich hatte vor dreißig Jahren meine Oma am ersten
Tag in die Schule geschleppt. Unterwegs hatten wir
noch bei einer anderen Oma einen Blumenstrauß für
meine erste Lehrerin gekauft und waren deswegen etwas zu spät gekommen. Alle anderen Schüler hatten
ihre Riesensträuße schon der Lehrerin ausgehändigt;
die arme Frau sah wie ein Blumenbeet aus, sie konnte nichts mehr halten. Mit meinem Blumenstrauß
drehte ich ein paar Runden um meine erste Lehrerin,
in der Hoffnung, noch eine Schwachstelle bei ihr zu
finden und den verfluchten Blumenstrauß hineinzu-
stecken. Vergeblich. Die Lehrerin war von allen Seiten konsequent verblumt, sie konnte mich nicht einmal sehen.

Es war eine äußerst peinliche Situation. Die anderen Schüler zeigten grinsend mit dem Finger auf
mich. Ich überlegte schon zu weinen, aber plötzlich

schoss mir eine verrückte Idee durch den Kopf. Ich kehrte um und schenkte meinen Blumenstrauß dem Schuldirektor. Er war sehr angetan, ich war sehr erleichtert und alle Mitschüler total neidisch. »Eine ganz neue Welt öffnet sich heute für euch!«, sagte der Schuldirektor in seiner kurzen Rede und zwinkerte mir zu. Es gab kein Konzert, keine Schultüten und keine Gäste. Wir gingen schweigend in die Klassenzimmer und schlugen dort Purzelbäume – zehn Jahre lang. Bei dieser deutschen Einschulung aber schien alles anders zu sein.

Hier hast du es mit einer dieser lustigen deutschen Volkstraditionen zu tun, von denen es eigentlich viel zu wenig gibt, sagte ich zu mir. Die Einschulung war in Deutschland wahrscheinlich so etwas wie der Männertag, nur dass Mutter und Kind noch dazu kamen – ein Fest für die ganze Familie also. Sofort borgte ich mir von den anderen Eltern einen Stift und schrieb alles sorgfältig auf, was mitzubringen war: Blumen für die Frauen, eine große Schultüte für den eigentlichen Pinocchio, eine kleinere Tüte mit Süßigkeiten für Pinocchios kleineren Bruder, der erst in zwei Jahren in die Schule ging, fünf Gäste und eine ganz große Biertüte für Meister Gepetto. He, Schule, ich bin bereit!

Dostojewski

Seit zwei Wochen haben wir eine zweite Katze in der Familie. Sie heißt Fjodor Dostojewski, zu Ehren des großen russischen Schriftstellers. Dieser Kater macht eine merkwürdige Figur. Fjodor ist intelligent, temperamentvoll, manchmal anstrengend, aber definitiv nicht lieb. Wir beobachten uns gegenseitig. Meine Frau sagt, Fjodor sei ein Choleriker, ich glaube Fjodor ist irre. Er kann sich wie eine Schnecke an der Raufasertapete festhalten, die Wand hochklettern und kurz unter der Decke hängen bleiben. Dann nach links die Wand herunter wie ein Meteorit und hinter dem Schrank mit dem Kopf auf den Boden knallen – Bums! Bei Fjodor läuft ständig irgendwas schief.

Genau so habe ich mir immer den großen Schriftsteller Dostojewski vorgestellt. In jedem Theater, in dem ich bisher gearbeitet habe, wurden seine Werke inszeniert, und jedes Mal ging bei diesen Inszenierungen irgendetwas schief. Unvergesslich ist mir *Schuld und Sühne* im Zentralen Jugendtheater von Moskau 1985. Zwei Wochen gastierte im Haus ein Theaterkollektiv aus Burjatien mit seinem nationalen Programm. Sie kifften wie verrückt und beschenkten alle unsere Schauspieler mit burjatischem Gras. Angesichts der damaligen Probleme mit dem Alkohol suchten gerade die Kulturschaffenden nach alternativen Betäubungsmöglichkeiten, um der schwierigen Theaterarbeit gewachsen zu sein. Die burjatischen Gaben kamen also wie gerufen. Nach zwei Wochen war das Gastspiel zu Ende, das Haus kiffte jedoch weiter aus allen Rohren.

In jenem Jahr sollten wir anschließend das junge Publikum mit Dostojeswkis *Schuld und Sühne* beglücken. Im Stück bringt der junge Student Raskolnikow eine alte Frau um und nimmt ihr Geld, weil die Alte seiner Meinung nach ein überflüssiges Geschöpf ist und die Kohle ohnehin nicht braucht. Außerdem will Raskolnikow sich testen, ob er ein Mann oder eine Maus ist. Er erledigt die Alte mit einem Schlag, wird aber von dem Untersuchungsrichter Porfirij ausgetrickst, der ihn mit pseudophilosophischem christlichem Geschwätz dazu bringt, sich selbst anzuzeigen.

Es war unser erstes Stück nach dem Burjaten-

Tanz. Raskolnikow, Porfirij und ich als Jungdrama-
turg trafen uns kurz vor Beginn der Vorstellung zu
einer Routinebesprechung auf der Lichtbrücke. Raskolnikow drehte einen dicken Joint und erzählte,
er habe gehört, dass das Burjaten-Gras viel besser
schmecke, wenn man es in Bremsflüssigkeit dünste.
Ich war misstrauisch und riet ihm von dem Experiment ab.

»Das Bessere ist der Feind des Guten, das hat doch
der Vorsitzende Mao gesagt«, argumentierte ich.

»Mir ist egal, was Mao gesagt hat, was konnte er
schon vom burjatischen Gras wissen«, antwortete
hochnäsig Raskolnikow.

Die Vorstellung begann. Anfangs lief alles gut:
Oma tot, Geld gefunden, der berühmte Monolog, ob
er ein Mensch oder eine Maus sei und ob Napoleon
an seiner Stelle genauso gehandelt hätte, wenn er für
die Zukunft Frankreichs dringend Kohle gebraucht
hätte. Die ersten Schwierigkeiten tauchten auf, als
Porfirij, der am selben Joint wie Raskolnikow gezogen
hatte, die Bühne betrat. Die beiden schauten einander in die Augen.

»Was sind Sie für ein Prophet?«, flüsterte der Souffleur Raskolnikow den Text zu.

Raskolnikow hielt sich am Stuhl fest und sabberte:
»Was sind Sie ...? Was sind Sie ...?«

»Und was sind Sie?«, sabberte Porfirij zurück.

»Ich bin Raskolnikow«, sagte Raskolnikow. »Und wer sind Sie?«

»Ich?«, fragte Porfirij zurück und hielt sich ebenfalls an seinem Hocker fest.

»Ein Prophet!«, versuchte der Souffleur den beiden aus der Sackgasse zu helfen, doch sie waren in ihrem Dialog festgefahren. Mehrmals machte Raskolnikow eine Handbewegung, als wollte er eine unsichtbare Fliege fangen, die um ihn herumflog.

»Das Theater macht zu, wir müssen alle kotzen«, rief jemand laut im Saal.

»Geld zurück!«, schrie ein anderer.

Das schien aber den beiden nichts auszumachen.

»Sie sind Sie! Und ich bin ich«, hörte man von der Bühne.

Es war die kürzeste Dostojewski-Vorstellung meines Lebens: Nach fünfundzwanzig Minuten war alles zu Ende. Seitdem weiß ich, wie gefährlich diese klassischen Stoffe sind.

Berlin, wie es singt und tanzt

Berlin ist eine laute Stadt. Besonders laut ist es im Sommer, wenn viele Touristen unterwegs sind und nicht wirklich wissen, wo sie eigentlich hin wollen. An der Kreuzung direkt vor unserem Haus treffen sich täglich Fahrzeuge aus sechs verschiedenen Richtungen und bleiben dort stehen. Sie wollen nicht alle zusammen zum Beispiel zum Pergamonmuseum fahren, den Altar angucken, oder zum Charlottenburger Schloss, den Mann mit dem Stahlhelm besichtigen. Aber nein, jeder will woanders hin. Und alle haben es eilig, alle haben Vorfahrt. Also stehen sie an der Kreuzung und hupen einander voll. Manchmal ergibt sich daraus beinahe eine Musik, eine Art Jazz-Rap, der sich über die Stadt ausdehnt.

Fast täglich erscheint deswegen an unserer Kreuzung eine mollige Dame, die ehrenamtlich versucht, die Autofahrer zur Vernunft zu bringen, indem sie ihnen die richtigen Anweisungen erteilt: »Leck mich doch!«, schreit sie. »Zeig mal deinen Führerschein, hast wohl nie richtig fahren gelernt! Zurück! Haut ab!«

Die Frau hat eine kräftige Stimme, und manchmal hilft sie den Autofahrern tatsächlich, schnell vom Fleck zu kommen. Ihre Stimme passt perfekt zu dieser Stadtsymphonie.

Ich mag Musik. Ich war schon als Kind davon überzeugt, Musik sei die schönste aller Künste. Heute versuche ich, meinen Kindern die Liebe zur Musik zu vermitteln. Neulich habe ich meinem Sohn eine Trompete gekauft. Ein ideales Instrument: für nur zwei Euro eine Menge Spaß. Die Trompete ist extrem laut und einfach im Gebrauch. Ich drückte sie Sebastian einfach in die Hand, ohne dazu groß etwas zu erzählen. Vielleicht hat das Kind irgendwelche verborgenen Talente, dachte ich, die durch seine Bekanntschaft mit der Trompete geweckt werden. Vielleicht steckt ein neuer Miles Davis in ihm.

Und tatsächlich, man sehe und staune: Innerhalb weniger Stunden hatte Sebastian autodidaktisch Trompete hupen gelernt. Das Wichtigste daran ist natürlich die richtige Stellung. Ein erfahrener Trompetenspieler wird niemals gleich in seine Trompete blasen, im Gegenteil: Er wird sie in der Hosentasche verstecken und so tun, als hätte er damit gar nichts vor.

Dann geht Miles Davis auf die Suche nach einer richtigen Position. Sehr empfehlenswert fürs Trompeten ist zum Beispiel das elterliche Schlafzimmer, am besten um sechs Uhr morgens. Man geht geräuschlos hinein, passt auf, dass die Tür nicht knallt, um den Überraschungseffekt nicht zu versauen. Danach platziert man die Trompete so nahe wie möglich an den Ohren des schlafenden Vaters beziehungsweise der Mutter, holt tief Luft und bläst volle Pulle hinein.

Danach muss der Trompetenspieler ganz schnell wegrennen, die Trompete mit beiden Händen festhalten und sich am besten für ein paar Minuten irgendwo verstecken, damit die unter dem Musikeinfluss stehenden Zuhörer Zeit haben, sich zu beruhigen. Die Zuhörer laufen wach und wütend durch die Wohnung, knallen mit den Türen und rufen laut nach dem Trompetenspieler: »Wo steckst du, Autodidakt, komm raus, zeig dich, du Feigling!«

Der Trompetenspieler ist höchst zufrieden. Seine Musik hat ihre Wirkung gezeigt, alle sind plötzlich zum Leben erwacht. Er versteckt seine Trompete, bevor er mit einem unschuldigen Gesicht aus dem Badezimmer hervorkommt und den Verlust seines Instruments beklagt: »Ach, ich weiß nicht, wo sie ist, gerade eben habe ich sie noch in der Hand gehabt, jetzt ist sie plötzlich verschwunden...«

Wir haben keine Lust weiterzuschlafen und gehen auf den Balkon, um eine Frühzigarette zu rauchen. Die Kreuzung ist um diese Zeit noch ziemlich leer. Nur die mollige Dame sitzt schon da. Sie schimpft leise vor sich hin und wartet auf die Autofahrer. Ihre Stimme dringt als leiser Großstadt-Sound zu uns hoch.

»Hörst du das auch?«, fragt mich meine Frau.

»Das ist Ella Fitzgerald«, sage ich.

»Die ist doch schon längst tot.«

»Ja, aber doch immer noch gut zu hören in Berlin.«

Deutscher Pass

Viele meiner Landsleute, die ich vor zwölf Jahren in einem Ausländerheim in Berlin kennen gelernt hatte, konnten sich erfolgreich in ihrem neuen Leben behaupten. Nur deutsche Staatsbürger zu werden, hatten die meisten bisher noch nicht geschafft. Warum eigentlich? Die rechtliche Grundlage dafür war vorhanden, die Zeit war reif, man brauchte eigentlich nur die üblichen hundert Zettel zusammenzupacken und zu den Behörden zu gehen. Einige kamen durch den Gesetzesdschungel, mehrere sind dort stecken geblieben beziehungsweise seit Jahren in den Ämtern unterwegs.

Mein alter Freund Dimitrij Feldman, der zusammen mit seinem Bruder die größte russischsprachige Zeitung in Deutschland, *Russkaja Germania*, herausgab, wusste darüber gut Bescheid, zumal er vor einem Jahr in den Vorstand der jüdischen Gemeinde von Berlin gewählt worden war. Feldman war dort für die so genannten Integrationsfragen zuständig.

Seine Sprechstunde besuchten fast ausschließlich Leute, die in ihrem Papierkrieg nicht weiterkamen. Es waren immer fast aussichtslose Situationen. Neulich klagte eine Mutter, ihre zwölfjährige Tochter könne nicht eingebürgert werden, weil die zuständige Behörde ein Zeugnis für die erste und zweite Klasse der Grundschule über deren Deutschkenntnisse verlange, die Tochter aber nur ein Zeugnis von der vierten Klasse besäße.

»Wir brauchen aber auch eins von der ersten Klasse, so sind die Gesetze«, meinte der Beamte.

Die Schule weigerte sich jedoch, solche Zeugnisse auszustellen, und behauptete, so etwas wie eine Sprachprüfung gäbe es in den ersten Klassen noch gar nicht. Die Mutter lief hin und her. Unser Freund Feldman konnte ihr nicht wirklich helfen, nur mit dem Berliner Innensenator einen Termin vereinbaren und ihn danach fragen.

»Wenn das Mädchen ein Zeugnis von der vierten Klasse hat, heißt es, dass sie Deutsch kann, sonst würde sie es gar nicht bis zur vierten Klasse schaffen.«

»Jawohl«, sagte der Innensenator, »Sie haben vollkommen Recht.«

»Und was machen wir nun?«

»Nichts. So sind die Gesetze, und auch ich kann sie nicht ändern«, meinte der Innensenator.

Zu jedem Gesetz, das eine Einbürgerung ermöglichte, fand sich eins, das diese Einbürgerung verhinderte. Zum Beispiel dies, dass die Arbeitslosen und Sozialhilfeempfänger kein Recht auf Einbürgerung hätten. Das galt aber nur in Berlin-Brandenburg.

»Warum dürfen die Arbeitslosen in München, Hamburg und Stuttgart eingebürgert werden und in Berlin nicht?«, fragte Feldman den Innensenator.

»Weil Deutschland ein demokratisches und föderalistisches Land ist, wo jedes Bundesland seine eigenen Gesetze entwickeln kann. Und diese Freiheit will das Land Berlin nicht aufgeben.«

Der Arbeitslose hatte hier also kein Recht auf Einbürgerung. Und wer nicht arbeitslos war, konnte es jederzeit werden. Eine ältere Frau, die in Berlin jahrelang als Krankenschwester geschuftet hatte, wartete Jahre auf einen Bescheid vom Ausländerbeauftragten. Es kam nichts. Dann wurde sie entlassen. Sofort meldete sich die Behörde bei ihr: Sie könne nicht eingebürgert werden, da sie ja nun arbeitslos sei.

Es ging hier um Menschen, die eine unbefristete Aufenthaltserlaubnis hatten, die Deutschland von ihrem Aufenthalt also wohl sowieso nie mehr befreien würden – ob mit oder ohne einen deutschen Pass. Für eine fünfundfünfzigjährige Krankenschwester einen Job zu finden, war in Berlin eine ziemlich unmögliche Sache. Aber Gesetz war Gesetz. Feldman konnte dieser Frau auch nicht helfen, aber er wusste inzwischen, wie er seine Landsleute in gute Laune versetzen konnte.

»Schauen Sie mich an!«, sagte er in solchen hoffnungslosen Fällen. »Ich lebe seit zwölf Jahren hier, ich habe eine große Zeitung auf die Beine gestellt und halte Sprechstunden in der jüdischen Gemeinde zu Fragen der Integration ab. Aber auch ich habe keine Einbürgerung, nur einen Fremdenpass, genau wie Sie.«

Die Besucher fühlten sich dann nicht mehr als vereinzelte Außenseiter, die ungerecht behandelt wurden. Wenn selbst der Mann mit der schicken Krawatte keinen normalen Pass hatte, dann sah das schon fast nach Gerechtigkeit aus.

Feldman war wie ich 1990 mit seiner Familie nach Berlin gekommen. Er wurde als jüdischer Kontingentflüchtling anerkannt und durfte ausnahmsweise nicht erst nach zehn, sondern schon nach acht Jahren die deutsche Staatsangehörigkeit beantragen. Sein Pech war nur, dass er in Wilmersdorf wohnte, wo eigene Gesetze herrschten. Vor vier Jahren fand in einer Wilmersdorfer Straße eine Schießerei statt. In der Zeitung stand, dass russische Zuhälter ihre Einflussgebiete im Rotlicht-Milieu mit der Waffe aufteilten.

Es gab zwei Tote. Am nächsten Tag erschien Feldman mit seiner Frau beim Bezirksamt, um einen Antrag auf Einbürgerung zu stellen. Die erste Frage, die der Beamte ihm stellte, war, ob er gestern dabei gewesen wäre. Seitdem ist viel Zeit vergangen. Der damalige Beamte ist längst befördert worden, aber Feldman ruft noch immer einmal im Jahr im Bezirksamt Wilmersdorf an und fragt, wie es um seine Einbürgerung bestellt ist.

»Ich bin erst seit anderthalb Jahren hier, ich muss mich erst einarbeiten«, sagte ihm neulich die Beamtin.

Feldman drohte mit Beschwerden.

»Wenn Sie eine Beschwerde schreiben, werde ich darauf antworten müssen. Das nimmt viel Zeit in Anspruch, und einer ihrer Landsleute wird deswegen auf seine Einbürgerung noch länger warten müssen«, bekam er zur Antwort.

Man munkelte, dass sich in Wilmersdorf und Schöneberg viele reiche Russen niedergelassen hatten. Deswegen gingen die Beamten dort mit den Einbürgerungsanträgen nun sehr vorsichtig um – sie fassten sie erst gar nicht an. Diese Russen würden sicherlich nicht arbeitslos, aber vielleicht würden sie sich irgendwann als Mafiosi entpuppen. Wer weiß?

Bei uns in Ost-Berlin ging die Sache mit der Ein-

bürgerung recht zügig. Meine Frau und ich hatten
bis zum letzten Moment gezögert, weil man sich den
Ärger mit den deutschen Behörden eigentlich gerne
ersparen will. Immerhin hatten wir es geschafft, zwölf
Jahre ohne diesen Pass, nur mit einem Reisedokument für Staatenlose, ausgestellt von der deutschen
Ausländerbehörde, zu überleben – und fühlten uns
dabei ganz wohl. Wir konnten uns als Kontingent-
flüchtlinge fast überall in Europa frei bewegen. Dann
aber wurde das Reisedokument nicht mehr verlän-
gert, und wir mussten zum Bezirksamt, um unseren
Anspruch auf die deutsche Staatsangehörigkeit gel-
tend zu machen.

Schon nach sechs Wochen waren wir eingebürgert,
nur unter falschen Namen und ohne die Kinder. Dafür gab es natürlich auch gesetzliche Gründe. Die
ausländischen Namen dürfen in Deutschland nur
nach der Isonorm in die Dokumente eingetragen
werden. Also heiße ich zur Zeit nicht mehr Kaminer,
sondern Kamjenier, und meine Frau wie eine Außer-
irdische: Ol'ga Grigor Evna. Eigentlich hätten wir
noch, um die deutsche Staatsangehörigkeit zu bekommen, eine Bescheinigung vorlegen müssen, dass
wir die russische nicht mehr besitzen. Da wir aber
noch aus der Sowjetunion ausgereist waren und die
russische Staatsangehörigkeit nie beantragt hatten,

besaßen wir Flüchtlingsstatus und mussten das nicht extra von den russischen Behörden bescheinigen lassen. Diese Prozedur hätte nach russischem Recht Jahre gedauert und wahrscheinlich mit einem Desaster geendet, weil wir in Russland nicht gemeldet sind.

Unsere Kinder aber, die in Deutschland geboren wurden und nie in Russland waren, wurden logischerweise nicht als Flüchtlinge anerkannt. Also mussten die Kinder eine Bescheinigung vorlegen, dass sie die russische Staatsangehörigkeit besaßen beziehungsweise nicht besaßen. Oder sie mussten bis zu ihrem sechzehnten Lebensjahr warten und dann sehen, was kam. Die russische Seite sagte zwar, dass es eine solche Bescheinigung einer Nichtstaatsangehörigkeit nicht gab, wollte das aber niemandem schriftlich bescheinigen.

Trotz dieser Schwierigkeiten brach unser Kontakt zu den deutschen Behörden aber nicht ab. Wie waren ja deutsche Staatsbürger geworden – zwar mit vorläufigen Ausweisen, falschen Namen und staatenlosen ausländischen Kindern, aber was sollte es, es führte kein Weg zurück. Wir hatten auch keine Angst vor den Beamten an sich, wir wussten, dass sie nicht bösartig und manchmal privat sogar ganz nett waren. Sie mussten überhaupt nicht über ihre Arbeit nachdenken, nur mit dem Gesetzgeber im Reinen sein und den Vorschriften folgen. Und ich wusste: Früher oder später würden wir und die meisten anderen es schaffen.

Zurzeit warten über dreißigtausend Menschen aus aller Welt auf ihre Einbürgerung in Deutschland. Wie viele Beamten damit beschäftigt sind, ist mir unbekannt. Wir haben jedoch vor vier Monaten eine Namensänderung beantragt, um die geheimnisvolle Isonorm wieder aus unseren Namen rauszukriegen. Dafür musste ich zehn Seiten Formulare ausfüllen und eine ganze Pappkiste mit Verdienstbescheinigungen, Steuererklärungen, beglaubigten Adressen meiner Eltern und Großeltern liefern. Der zuständige Beamte versicherte uns mehrmals am Telefon, dass unsere Akte auf seinem Tisch ganz oben läge. Wir hoffen, es geht ihr gut.

Macho-Märchen

Obwohl unsere Kinder noch nicht richtig lesen können und mehr auf die Bilder als auf den Text achten, haben sie schon eine klare Trennlinie in ihrer
gemeinsamen Kinderbibliothek gezogen. Die Ge-
schmäcker der beiden sind unterschiedlich. Der Junge ist an Action interessiert, am liebsten am Leben
mittelgroßer Monster. Das Mädchen will über die
Liebe lesen. Deswegen stehen bei uns im Kinderzimmer links die Jungsbücher im Regal: *Die Wikinger*, *Die
große Drachenschlacht*, eine Dinosaurier–Enzyklopä-
die und *Die unglaublichen Abenteuer der Digitalmonster
am Berg der Unendlichkeit*. Auf der anderen Seite stehen Mädchenbücher: *Schneewittchen*, *Cinderella* und
Die kleine Meerjungfrau von Hans Christian Ander-
sen. Auf diese Weise findet jeder sein Buch, schnell
und unproblematisch.

In der letzten Zeit bekommen wir aber immer
mehr Bücher aus Russland, die zu keiner der beiden

Seiten passen. Zum Beispiel alte russische Märchen, Denkmäler der Volkskultur, die lange von den Kommunisten verheimlicht oder zensiert wurden und erst jetzt in ihrer ursprünglichen Form neu verlegt werden, üblicherweise in einem schweren goldenen Umschlag. Neulich stand ich im Kinderzimmer mit dem Märchenbuch *Russische Recken unterwegs* in der Hand und überlegte, wohin damit. Einerseits wird dort geschlachtet, was das Zeug hält, das Böse wird jedes Mal auf brutalste Weise zerschlagen, aber auch die Liebe kommt darin vor.

Eigentlich müsste man für dieses Buch ein Extraregal aufstellen. Es zeigt eine vollkommen neue Art von Literatur, das so genannte Macho-Märchen. Man kann das Buch auf jeder beliebigen Seite aufschlagen, die Fabel ändert sich in keiner Weise. Im Mittelpunkt steht immer der Hüne Ilia, ein ruhiger und zurückhaltender Mensch, der für Gerechtigkeit und Ordnung eintritt. Wenn es irgendwo Streit gibt, wird er vom Volk gerufen. Und irgendeinen Streit gibt es immer.

»Ilia«, sagt das Volk zu ihm, »der schlimme Räuber Suchman ist wieder aufgetaucht. Er stellt ein Problem dar, sei bitte du die Lösung.«

Also geht der Hüne Ilia in den Keller und holt seine berühmte Streitkeule aus der Truhe. Er holt noch seine andere Ersatz-Streitkeule, für alle Fälle, und noch eine ganz kleine mit scharfen Nadeln drauf, falls die ersten zwei versagen, setzt sich auf sein Pferd und reitet los, bis er auf den Räuber trifft. Die Einzelheiten des Streites interessieren ihn überhaupt nicht, er geht gleich zur Sache.

»Wie willst du es haben?«, fragt er den Räuber. »Soll ich dich mit einem Schlag in die Erde hacken oder ist dir Stück für Stück lieber?«

»Du hast eine große Klappe«, antwortet der Räuber Suchman, zieht seinen krummen Säbel aus der Hose und geht auf den Hünen los. Danach streiten sie ungefähr zwei Seiten lang: *Booms! Bams! Booms! Bams...* Am Ende bekommt der Hüne Ilia gute Laune, der Räuber Suchman ist schon zwei Meter unter die Erde gehackt worden, für Ilia ist es aber noch zu früh, um nach Hause zu gehen. Also reitet er weiter, besucht den Bruder des Räubers Suchman, seinen Schwager und seinen Cousin: *Booms, Bams, Booms, Bams.* Abschließend besucht er eine Prinzessin. Sie freut sich natürlich. Sie trinken zusammen Tee.

»Ich war hier zufällig geschäftlich unterwegs«, erzählt der Hüne Ilia, »und dachte, schau ich einfach mal vorbei.«

»Toll«, sagt die Prinzessin, »du kannst bei mir übernachten, wenn du willst.«

Am nächsten Morgen will er los. Die Prinzessin sagt, er könne diesmal länger bleiben, wenn er Lust habe.

»Nö«, sagt Ilia, »keine Zeit, ich muss weiter.«

Die Prinzessin weint. Der Hüne streichelt ihr zärtlich die Wange.

»Weine nicht«, sagt er. »Ich werde bestimmt noch mal vorbeischauen, irgendwann. Aber nicht jetzt, jetzt muss ich noch etwas erledigen.«

Im Wald haben sich die dunklen Mächte wieder zusammengezogen, die Enkelkinder von Suchman oder weiß der Geier wer. Also reitet er erneut seinen Feinden entgegen: *Booms, Bams, Booms, Bams...* Und jedes Mal, wenn er sich an die Prinzessin erinnert und ihr Haus sucht, findet er ein anderes Haus und eine andere Prinzessin darin.

»Hmm«, denkt Ilia, »das ist wahrscheinlich mein Schicksal. Und gegen das Schicksal hilft keine Streitkeule, man muss einfach damit leben.«

Unglaubliches ist passiert. Das Schicksal von Hüne Ilia berührt beide Kinder gleichermaßen. Das Mädchen und der Junge hören gespannt zu.

Fu

Eine Woche vor der Einschulung fing unser Schulkind Nicole langsam an, durchzudrehen. Einerseits
war sie stolz, kein Kindergartenkind mehr zu sein, sie
hatte ja von uns und anderen Erwachsenen oft genug
gehört, was für eine wichtige Etappe im Leben jedes
einzelnen Kindes die Schule sei: der erste Schritt
zum Erwachsenwerden. Im Kindergarten zirkulier-
ten jedoch intern Untergrundinformationen, die das
Schulkind Clarissa dort verbreitet hatte und wonach
die Schule große Scheiße sei.

Nicole war deswegen gespalten, trotzdem bereite-
te sie sich gründlich vor. Sie stopfte ihren Ranzen mit
allen ihr zugänglichen Bleistiften, Papierheften und
anderem Schulzeug voll und schleppte ihn tagelang
durch die Wohnung. Es kostete uns viel Mühe, sie
abends vor dem Schlafengehen von dem Ranzen zu
trennen. Zwei Tage vor der Einschulung bekam sie
Fieber: Erst 37,8 °C, dann 35,9 °C, dann wieder

37,8 °C. Anschließend verlor sie auch noch einen Zahn; die Aufregung war also groß.

An ihrem ersten Schultag standen wir brav mit hundert anderen Eltern um acht Uhr dreißig in der Aula und zogen uns das festliche Programm rein: Zuerst gab es ein Konzert der ehemaligen ersten Klassen mit Tanz und Gesang, dann die Ansprache der Schuldirektorin.

»Haben Sie Geduld mit Ihren Kindern«, beschwor sie die Eltern, »schließlich sind die Kinder noch Kinder, und Sie müssen Geduld mit ihnen haben.«

»Auf gar keinen Fall!«, schrien die Eltern im Saal und lachten. Die Luft war schlecht, die Stimmung aber gut. Alle wollten endlich die Schultüten loswerden und draußen auf dem Schulhof eine rauchen.

»Denn alle Kinder sind unterschiedlich, jedes Kind unterscheidet sich von einem anderen Kind«, fuhr die Schuldirektorin in ihrer Rede fort.

»Oh, Gott«, stöhnte meine Frau. Langsam erinnerten wir uns wieder an unsere eigene Schulzeit. Nicht nur die Kinder, auch die Eltern waren verdammt unterschiedlich: Es gab Eltern mit Krawatte und Anzug, Eltern mit Bart und Brille, Eltern mit einem Loch im Kopf und Eltern mit einer Bierbüchse in der Hand.

»Wann gehen wir endlich nach Hause?«, drängten

mich die Kinder alle fünf Minuten. »Wie lange sollen wir noch hier sitzen?«

»Noch dreizehn Jahre«, zischte ich.

Der offizielle Teil war endlich vorbei, die Kinder leerten die Schultüten, die Eltern besprachen auf dem Hof die neue Lebenssituation. Die meisten kannten sich bereits vom Kindergarten.

»Um halb sieben aufzustehen ist furchtbar, das habe ich seit meiner Schulzeit nicht mehr gemacht«, sagte die Mutter von Marie-Luise. Alle stimmten ihr zu.

»Wir werden uns umstellen müssen«, jammerte der Vater von Paul.

Seitdem sind zwei Wochen vergangen. Tag für Tag stehen wir nun um halb sieben auf, um das Kind in die Schule zu bringen. Wenn die Eltern der ersten Klasse in der Morgendämmerung die Schönhauser Allee überqueren, erinnert uns ihr Anblick stark an den alten Hollywood-Schocker *Die Zombies aus der Geisterstadt*. Die Autos halten immer an, um uns Vorfahrt zu lassen. Die Zombies der ersten Klasse verstehen um die Zeit nämlich keinen Spaß.

»Wir haben uns noch nicht richtig umgestellt«, schüttelt der Vater von Paul den Kopf.

»O lala, mamma mia!«, rollt die Mutter von Marie-Luise die Augen.

Um halb zwölf ist die Schule schon wieder aus, die Kinder müssen abgeholt werden.

»Und? Was habt ihr heute gelernt?«, fragen die Eltern ihre Sprösslinge.

»Weiß nicht«, sagen die einen.

»Wir haben den Buchstaben F gelernt«, sagen die anderen.

»Oh, toll«, freuen sich die Eltern, die nun langsam wach werden. Sie betrachten die F-Buchstaben in den Schulheften ihrer Kinder mit großem Interesse: ein großes fettes F, mit einem roten Bleistift hingekritzelt. Sie betrachten diesen Buchstaben mit Rührung, aber auch mit Sorge.

»Ich kann seit zwei Wochen nicht ausschlafen«, sagt die Mutter von Marie-Luise. Mich fragte sie danach: »Weißt du, wie viele Buchstaben es insgesamt im Deutschen gibt?«

»Sehr viele, ich glaube über dreißig, und das ist erst der Anfang«, antwortete ich.

Die Zombies verabschieden sich, am nächsten Tag fängt alles wieder von vorne an. Tag für Tag, Monat für Monat, Jahr für Jahr.

Gestern ist aus F ein »Fu« geworden. »Außerdem haben wir dem Hund die Ohren bemalt«, berichtete meine Tochter zu Hause. Es geht also voran.

Applikator Lapko

Die Medizin im Westen ist unaufdringlich. Man wird hier häufig nach dem so genannten *Grippostad*-Prinzip behandelt, mit Medikamenten, die die Leiden des Patienten mildern, ihn am Leben halten, aber nicht ganz heilen. Er muss noch einmal zum Arzt und noch einmal und am liebsten gleich dort bleiben, und wenn sein Schnupfen nicht von alleine verschwindet, dann machen wir ein Kardiogrammchen.

Ganz anders ist es in Russland, wo fast alle Menschen unversichert herumlaufen. Keiner wird dort für etwas Geld ausgeben, was möglicherweise in der Zukunft passieren könnte. »Was denn für eine Zukunft?«, sagen die Russen, wenn sie von einem Versicherungsagenten angesprochen werden. Sie leben hier und jetzt und haben eine ganz andere Sorge: alles rechtzeitig ausgeben, aufessen und austrinken – bis hin zum Toilettenpapier und zur Glühbirne. Das Licht muss aus sein, bevor man diese Welt endgültig verlässt.

Wenn sie krank werden, wollen sie kein »Kardiogrammchen« und keinen »Kommen-Sie-morgen-wieder«-Unsinn hören, sondern fordern ihre ultimative Heilung – sofort. Die Medizin muss sich nach den Wünschen der Patienten richten, also kommt jeden Monat irgendwo in Russland ein neues Wundermittel auf den Markt. Die Berichte darüber füllen die Zeitungsseiten. Sei es ein Balsam »Doktor Schiwago« oder ein heilender Topf von Oma Tamara aus der Tundra. Ihr ganzes Leben widmete Oma Tamara der Suche nach heilenden Extrakten, jahrelang hatte sie bis zur absoluten Verzweiflung Biberkot mit wilder Petersilie zusammengekocht, aber dann aus Versehen irgendetwas irgendwohin geschüttet, und plötzlich ist das Wundermittel da. Damit geht sie in das örtliche Krankenhaus, verteilt ihren Extrakt an die hoffnungslosesten Patienten, und wenn sie nicht gleich gestorben sind, dann leben sie noch heute.

Die Menschen lesen die Zeitung, gehen in die Apotheke, kaufen die Dosen mit der Aufschrift »Geheimes Tundra-Rezept von Oma Tamara – hilft gegen alles, kostet fast nichts«. Aber nach einer gewissen Zeit lässt die Begeisterung nach. Die gleichen Zeitungen veröffentlichen Berichte skeptischer Professoren:

»Das mit der Oma war ein netter Versuch, aber es

gibt wohl doch keine Medizin auf der Welt, die uns ein für alle Mal von allen unseren Leiden erlösen wird«, schreiben sie.

»Spinner! Klugscheißer!«, regen sich die Leser auf. »Haben bestimmt etwas vor uns verheimlicht, werden selbst alle hundert Jahre alt, und wir müssen sterben!«

Dann aber kommt ein neues Wundermittel auf den Markt, und alles fängt wieder von vorne an. Einige Wundermittel schicken unsere Freunde und Verwandten zu uns ins weit entfernte Ausland, weil sie sich Sorgen um unsere Gesundheit machen. Sie wissen, dass es im Westen keine Wundermittel gibt, nur Lutschbonbons gegen Husten, *Grippostad* und *Paracetamol*.

Neulich bekamen wir aus Russland »Applikator Lapko« – eine revolutionäre Erfindung von einem genialen Reflextherapeuten aus der Bergarbeiterstadt Donezk. Laut Gebrauchsanweisung kann Applikator Lapko Wunder bewirken. Die Übergewichtigen verlieren ihr Gewicht, die Magersüchtigen werden dick. Außerdem hilft es gegen Hämorriden, gegen Erkältung, Stress, Kopf- und Rückenschmerzen.

»Die einzige medizinische Erfindung aus Russland, die sich bereits auf der ganzen Welt – in Amerika, Australien und Europa – großer Beliebtheit erfreut:

dein treuer Freund, der Applikator Lapko«, stand auf der Verpackung.

Wir haben dieses Gerät mit großem Misstrauen ausgepackt. Wir leben schon lange in Europa, hatten aber bisher noch nie etwas davon gehört. Es lag eine Woche lang auf dem Tisch in meinem Arbeitszimmer, und jeder Gast, der zufällig hereinkam, erschrak sich. Da musste man ihm natürlich erklären, was der Applikator Lapko eigentlich ist: Ein mittelgroßes Brett, das mit ungefähr dreitausend scharfen Nadeln gespickt ist. Die Nadeln bestehen aus sieben verschiedenen, harten Metallen, von Zink bis Stahl, die unser Organismus nach Überzeugung des Erfinders unbedingt braucht. Je nachdem, was man für Beschwerden hat, muss man sich auf das Brett legen oder sich darauf setzen. Gegen Kopfschmerzen wird ein Kopfstand auf dem Brett empfohlen, gegen Stress ein Sprung.

Na ja, dachten wir, dieser Erfinder, Herr Lapko, ist bestimmt ein lustiger Zeitgenosse, er muss höllisch gelacht haben bei der Vorstellung, wie die ganze kranke Bevölkerung auf seine Nadeln springt. Aber ob Kopfschmerzen oder Rückenschmerzen, keiner von uns wollte dieses Wundermittel ausprobieren.

Unser Kater Fjodor Dostojewski wagte schließlich einen Anfang. Fjodor litt schon seit Ewigkeiten unter psychischen Störungen und konnte sich keine Sekunde an einer Stelle aufhalten. Tag und Nacht sprang er wie eine Bestie durch die Wohnung und miaute. Wir waren mit ihm deswegen sogar schon beim Tierarzt gewesen, der zu uns das Übliche sagte: Die Ursache für Fjodors Verhalten sei Stress, weil die armen Wohnungskätzchen alles in sich hineinfräßen. Aber das mache nichts, wir würden einfach ein Kardiogrammchen machen, ihm eine Blutprobe abnehmen, und dann würden wir mal sehen.

Wir versuchten, dem Arzt sachlich zu erklären, dass unsere Katze vom unruhigen Geist des verrückten Schriftstellers Fjodor Dostojewski heimgesucht wurde und kein Kardiogrammchen, sondern einen Exorzismus brauchte. Aber der Arzt wollte nicht auf uns hören. »Kardiogrammchen, Kardiogrammchen«, sagte er nur. Wir verzichteten. Also sprang Fjodor weiterhin wie verrückt durch die Wohnung. Bis er einmal, eher aus Versehen, auf dem Applikator Lapko landete und erstarrte.

Wir saßen in der Küche und bemerkten zunächst nichts. Aber nach einer Weile wunderten wir uns, dass es so ungewöhnlich still in der Wohnung war. Auch die Kinder horchten erstaunt auf. Das übliche Gerenne und Gemaule von Dostojewski war nicht mehr zu hören.

»Fjodor, Kleiner, wo bist du?«, rief meine Frau.

Die Antwort war Stille. Wir gingen durch die Wohnung und fanden ihn im Arbeitszimmer. Wahrscheinlich wollte er vom Monitor auf den Tisch springen. Nun stand Fjodor auf dem Applikator Lapko, ungewöhnlich aufgerichtet wie ein Adler. Fjodors Fell war gesträubt und stand senkrecht nach oben, in seinen großen Augen funkelten bunte Sternchen. Man konnte fast sehen, wie die gesunden Säfte aus dem Applikator in unseren Kater strömten. Alles an seiner Haltung deutete darauf hin, dass er voll auf dem Gesundheitstrip war. Wir wussten nicht, wie lange er schon auf dem Gerät stand – die Broschüre empfahl maximal fünfzehn Minuten. Vielleicht waren es bei Fjodor nur zehn gewesen, aber die Wirkung war nicht zu übersehen. Der Applikator hatte ihn vom Stress befreit.

Wir stellten den Kater vorsichtig auf den Fußboden. Fjodor blieb für einige Sekunden stehen und ging dann mit ungewöhnlich würdigen und langsamen Schritten in Richtung Toilette. Er war offensichtlich von seinem Leiden erlöst. Wir waren stolz auf das russische Wundermittel.

»Und die sagen hier immer Kardiogrammchen, Kardiogrammchen«, meinte meine Frau verächtlich.

Mein Vater und der Krebs

Jede Familie ist eine kleine Religionsgemeinschaft, also muss sie auch über einen so genannten Hausaltar verfügen. Bei uns in der Familie ist meine Frau Olga für die Gestaltung des Hausaltars zuständig. Auf dem großen schwarzen Bücherregal im Schlafzimmer befinden sich derzeit sorgfältig arrangiert: eine kaputte Taschenuhr von ihrem verstorbenen Vater, ein Bild der heiligen Maria und ein ausgestopfter Hammerfisch mit vielen kleinen, aber sehr gefährlich aussehenden Zähnen, den Olga vor fünfzehn Jahren mit bloßen Händen aus dem Leningrader Fluss Fontanka herausgeholt hatte. Es war ein doppeltes Wunder: Erst einmal wusste jeder Leningrader, dass es in dem Fluss seit dem Zweiten Weltkrieg keine Fische mehr gab; und zweitens kam der Hammerfisch bereits ausgestopft vorbeigeschwommen.

Olgas Freunde meinten, der Fisch sei wahrscheinlich von einem schlecht gelaunten Wissenschaftler

aus dem Fenster des Zoologischen Museums geworfen worden und im Fluss gelandet. Doch Olga war
der Meinung, alles, was ihr passiere, habe eine be-
sondere Bedeutung. Und so kam sie zu dem Schluss,
dass der präparierte Hammerfisch ihr Glück bringen
solle. Seit damals sind Olga und er unzertrennlich.

Außerdem gehört zu unserem Hausaltar noch ein
kleiner Buddha aus Holz mit abgebrochener Nase
und einer alten Perlenkette. Die Hauptreliquie der
Familie ist aber unser Hochzeitsfoto, auf dem wir
uns küssen: ich noch mit langen Haaren und einem
Schnurrbart, Olga im gestreiften Matrosenhemd und
einer Baskenmütze auf dem Kopf.

Früher wollte ich mich auch einmal aktiv an der
Ausgestaltung unseres Hausaltars beteiligen. Das
war, als ich mir die Haare abschnitt und sie in einer
Plastiktüte aufs Regal legte. Diese Reliquie hat sich
aber in unserem Hausaltar nicht eingelebt. Die Tüte
wurde schnell von der Katze gefunden und in kleine
Stücke zerfetzt; den Inhalt verteilte sie gnadenlos in
der ganzen Wohnung. Noch Monate später fanden
wir in irgendwelchen Ecken Haare von mir. Olga
meinte aber, die Tüte hätte sowieso blöd ausgesehen
und nicht zum Gesamtbild des Hausaltars gepasst.

Ich fand eher den Hammerfisch unpassend. Er erinnerte mich ständig an meinen Vater und seinen

Flusskrebs. Meine Eltern hatten nämlich auf ihren Bücherregalen ebenfalls viel Platz gelassen, um dort ihre Reliquien zu platzieren. Dazu gehörte unter anderem ein großes Schwarzweißfoto von Hemingway. Er sah gut gelaunt aus, trug einen dicken Pullover und lächelte in seinen grauen Bart. Wenn mich meine Schulkameraden zu Hause besuchten, zeigten sie auf das Foto und fragten, ob das mein Opa sei.

»Ja, aber er ist schon lange tot«, sagte ich jedes Mal und erzählte ihnen daraufhin, dass er ein berühmter Wissenschaftler und Seemann gewesen war.

Mein richtiger Opa war zu diesem Zeitpunkt noch quicklebendig und pensionierter Buchhalter. Er hatte jedoch nichts Heldisches an sich. Deswegen ernannte ich leichten Herzens Hemingway zu meinem Großvater. In meinen Geschichten, die ich meinen Mitschülern erzählte, kämpfte der Polarforscher Hemingway allein gegen eine Horde hungriger Eisbären und musste dauernd auf irgendwelchen Eisschollen überwintern. Am Ende starb er immer eines grausamen Todes, aber jedes Mal eines anderen. Die enge Verwandtschaft mit Hemingway hinderte mich daran, jemals seine Bücher anzufassen. Ich wollte mir das Bild von meinem Opa, das bereits in meinem Kopf existierte, nicht unnötig verkomplizieren. Meine Eltern aber haben bestimmt fast alles von ihm gelesen.

Zu seinem vierzigsten Geburtstag bekam mein Vater von seinen Arbeitskollegen eine Spinnangel geschenkt. Er fuhr am Wochenende oft mit ihnen zum Moskauer See, brachte aber nie einen Fisch nach Hause, wenn er abends leicht betrunken und froh gestimmt zurückkam. Meine Mutter und ich wunderten uns deswegen kein bisschen. Alle Welt wusste, dass der Moskauer See außer Müll schon lange nichts mehr hergab. Umso größer war unsere Überraschung, als mein Vater eines Tages einen Flusskrebs anschleppte. Wie besessen erzählte er immer wieder, wie er den Krebs gefangen hatte. Das Tier war rückwärts aus dem Fluss gekrabbelt und hatte versucht, mit seiner Schere die Bierflasche meines Vaters zu öffnen. Die Flasche hatten seine Kollegen im Ufersand vergraben, um sie kühl zu halten. Wahrscheinlich wollte der Krebs nur die Kraft seiner Schere ausprobieren – dabei fiel er meinem Vater zum Opfer. Und nun lag er bei uns zu Hause auf dem Küchentisch und bewegte sich nicht von der Stelle. Mein Vater strahlte und war auf seine Beute sehr stolz.

»Soll ich ihn dir zu Mittag zubereiten?«, fragte meine Mutter.

»Um Gottes willen«, erschreckte sich mein Vater, »ich werde ihn präparieren und zur Erinnerung aufbewahren.«

Der Krebs sollte zu einer Familienreliquie werden und einen Ehrenplatz auf dem Bücherregal neben Opa Hemingway einnehmen. Mein Vater telefonierte daraufhin mit einem Freund, der im Krankenhaus als Techniker arbeitete, und fragte ihn, wie man einen Krebs am besten präpariert.

»Man muss ihn in Spiritus einlegen, damit er nicht verfault«, meinte der Spezialist. »Nach ein paar Tagen holst du ihn wieder raus, nimmst einen Pinsel und bestreichst ihn mit Lack. Zum Beispiel mit farblosem Nagellack. Frag deine Frau, ob sie so etwas hat.«

Wir hatten immer eine Menge Spiritus im Küchenschrank. Jeden Monat brachte mein Vater ein volles Drei-Liter-Glas von der Arbeit nach Hause. In seinem Betrieb standen in jeder Werkhalle riesengroße Kanister mit Spiritus herum, das Zeug wurde für technische Zwecke und gleichzeitig zur Aufmunterung der Brigaden benutzt.

Mein Vater legte den Flusskrebs mit dem Kopf nach unten in ein Glas und übergoss ihn mit Spiritus. Zwei Tage steckte der Krebs im Glas. Dann holte ihn mein Vater heraus, nahm den farblosen Nagellack meiner Mutter, eine kleine Bürste und bemalte ihn von allen Seiten. Die fertige Reliquie legte er zum Trocknen auf eine Zeitung in der Küche. Glücklich und zufrieden ging er erst einmal Bier holen. Als er zurückkam, war der Krebs verschwunden. Die ganze Familie durchsuchte die Wohnung, wir folgten den Lackspuren auf dem Boden und fanden ihn schließlich unter dem Sofa im Gästezimmer.

Es war ein wahres Wunder – der lackierte Krebs lebte. Er lebte und war allem Anschein nach noch stockbesoffen dazu. Auf alle Fälle erwies sich das Schalentier als unglaublich zählebig. Nach dem zweitägigen Spiritusbad hatte er zudem alle Hemmungen verloren und konnte sich nun auf einmal nicht nur rückwärts, sondern auch vorwärts bewegen und sogar zur Seite springen. Das alles tat er auch, und zwar viel schneller, als man bei Krebsen vermuten würde. Er ließ sich einfach nicht fangen, sprang unter dem Sofa hin und her und machte dabei komische Geräusche. Meine Mutter meinte, die gequälte Kreatur wolle uns damit sagen, wir sollen sie in Ruhe lassen, ich war jedoch der Meinung, dass sie einfach nur rülpste.

Mein Vater jagte den Krebs durch die ganze Wohnung, und er kroch mit einem Besen bewaffnet unter alle Möbel. Das betrunkene Tier erwies sich aber als sehr schlau und stellte seinem Verfolger ständig neue Fallen. Permanent knallte mein Vater mit dem Kopf gegen verschiedene Möbelstücke, einmal blieb er sogar unter dem Sofa stecken und beschimpfte den

Krebs fürchterlich. Uns schien es, als würde das Tier unseren Haupternährer durch die Wohnung jagen. Meine Mutter und ich schlossen Wetten ab, wie lange mein Vater gegen den Krebs aushalten würde. Doch schon nach ungefähr einer Stunde siegte die rohe Gewalt über den Intellekt, und mein Vater hatte seinen Krebs wieder im Glas.

Diesmal ließ er ihn zur Sicherheit eine ganze Woche lang in Spiritus baden und bemalte ihn danach dreimal hintereinander mit dem Nagellack meiner Mutter. Diese Operation hatte Erfolg. Der Krebs bewegte sich nicht mehr und bekam dann den ehrenvollen Platz auf dem Hausaltar der Erinnerungen. Wenn ich von der Schule nach Hause kam, warf ich als Erstes einen Blick auf das Regal. Lange Zeit hatte ich die Hoffnung, dass unser Freund vielleicht doch noch am Leben war und eines Tages in die große weite Welt abhauen würde, vielleicht sogar mit Hemingway zusammen – in Richtung Arktis.

Das passierte jedoch nicht. Im Gegenteil: Nach einer Weile fing es bei uns in der Wohnung an zu stinken. Der Geruch kam eindeutig vom Bücherregal, mein Vater wollte es allerdings nicht wahrhaben. Er konnte einfach nicht glauben, dass seine Einbalsamierungsmethode falsch gewesen war.

»Nein, nein, das ist bestimmt nicht der Krebs«, sagte er jedes Mal, wenn wir uns über den ekelhaften Geruch beschwerten.

»Wer denn?«, fragten wir misstrauisch. »Vielleicht der Fernseher?«

Der Gestank kam hundertprozentig von dem Krebs. Eines Tages warf ihn meine Mutter einfach auf den Müll. Großvater Hemingway und die Spinnangel aus Plastik blieben; sie wanderten sogar später mit uns nach Deutschland aus.

Immer lebe die Sonne

Seit meine Eltern umgezogen sind, haben sie eine merkwürdige Sehnsucht entwickelt. Sie erinnern sich oft und gerne an den verrückten Nachbarn aus ihrem alten Haus. Obwohl dieser ihnen ständig auf den Geist gegangen war und manchmal sogar recht gefährliche Sachen angestellt hatte. Anfangs hatte er meinen Eltern quasi-offizielle Briefe geschrieben: »Ich weiß, dass Sie nachts russisches Radio hören, ich höre alles mit! *Pustj vsegda budet solnze!*« Der verrückte Nachbar hielt meine Eltern wahrscheinlich für Bolschewisten, die auf ein geheimes Radiosignal warteten, um mit ihren von langer Hand geplanten Terroraktivitäten loszulegen. Warum sollten diese Menschen auch sonst russisches Radio hören, wenn nicht wegen des Codeworts. »Hier spricht das russische Radio: ›*Pustj vsegda budet solnze!*‹«, und dann fliegt der halbe Bezirk in die Luft – so stellte er sich das wahrscheinlich vor.

Meine Eltern reagierten gelassen. Einmal sahen sie, wie der Nachbar ihren gerade weggeworfenen Müll wieder aus der Tonne fischte und zu sich nach Hause schleppte, um ihn in Ruhe zu untersuchen.

»Er ist ein verrückter armer Mann, der nichts zu tun hat«, meinte meine Mutter mitleidig.

Dann rief aber eines Tages der verrückte arme Mann bei der Polizei an und behauptete, meine Eltern seien Kannibalen. Jedes Wochenende würden sie kleine Kinder in ihre Wohnung locken, und zwar jede Woche neue. Kein Kind hätte die Wohnung aber jemals wieder verlassen, behauptete der Nachbar. Zwei Polizisten klingelten daraufhin bei meinen Eltern. Als Erstes stießen sie auf meinen Vater, der nicht besonders gut Deutsch kann. Mein Vater rief mich an und erzählte verblüfft, seit fünfzehn Minuten habe er zwei bewaffnete Polizisten in der Wohnung, die merkwürdige Gesten machten und auf den Kühlschrank zeigten.

»Ich verstehe nicht, was sie von mir wollen«, sagte er. Zum Glück kam in diesem Moment meine Mutter nach Hause und klärte die Polizisten auf.

»Das sind immer dieselben Kinder«, erklärte sie. »Nämlich meine Enkelkinder, die uns besuchen kommen. Sie glauben doch diesem Verrückten nicht im Ernst.«

150

»Natürlich nicht«, sagten die Polizisten. »Dafür kennen wir den Mann schon zu lange. Dürfen wir uns trotzdem mal kurz bei Ihnen in der Küche umschauen?«

Sie blickten misstrauisch auf den großen Kühlschrank in der Ecke.

»Wollen Sie etwa nachschauen, ob da Kinder drin sind?«, lachte meine Mutter sie aus.

Die Polizisten verteidigten sich, es sei ihre Pflicht, alle Hinweise sorgfältig zu prüfen, auch die von verrückten Nachbarn. Denn es habe in der Vergangenheit schon oft solche Fälle gegeben, wo schlimme Verbrechen gerade mithilfe von total durchgeknallten Nachbarn aufgeklärt worden seien.

»Das sind in der Regel empfindliche, sensible Menschen, die mehr als die anderen merken«, erklärten die Polizisten meiner Mutter. »Aber wir werden ihm sagen, dass Sie in Ordnung sind.«

Abends stand der verrückte Nachbar auf dem Balkon, mit einem Bier in der einen Hand und einem kleinen Radiogerät in der anderen.

»Ich möchte, dass Sie es einfach wissen! Ich höre mit!« Er schüttelte bedeutungsvoll sein Radio. »Ich höre alles mit! *Pustj vsegda budet solnze*, alles klar?«

Und dann schrieb er meinen Eltern auch wieder Briefe. Einen veröffentlichte ich sogar in einer Zeitung – unter der Rubrik »Deutsche Fundstücke«. So ging das fast drei Jahre lang.

Die neuen Nachbarn in der neuen Wohnung meiner Eltern sind freundlich und zurückhaltend, sie sind wahrscheinlich berufstätig und haben keine Lust auf russisches Radio. Nur der kleine Hund in der gegenüberliegenden Wohnung ist sehr empfindlich. Er fängt sofort laut an zu bellen, wenn meine Eltern nachts auf ein Radiosignal warten oder Kinder essen. Trotzdem langweilen sie sich ein wenig. Denn was ist schon ein nervöser Hund gegen einen richtig verrückten Nachbarn?

Kein Wort mehr über meine Tante

Ich darf nicht mehr über meine Tante schreiben. Schade eigentlich. Sonst haben wir uns immer so gut verstanden. Doch wenn es um irgendwelche Geschichten geht, wirkt sie neuerdings hart wie Granit und verbietet mir ausdrücklich, ihre Privatsphäre zu tangieren. Mein Vater dagegen freut sich jedes Mal, wenn er bei einer Lesung seinen Namen hört. Das halte ich für eine angemessene menschliche Reaktion. Er freut sich, obwohl er fast kein Deutsch versteht und ihm alle Geschichten, die ich über ihn geschrieben habe, eher schnuppe sind.

Über meine Tante habe ich eigentlich nur eine einzige Geschichte geschrieben. Sie hieß »Meine Tante auf der Schönhauser Allee« und war absolut harmlos. Doch sie meinte, ihr Leben hätte sich durch diese Geschichte abrupt verändert. Ihre Nachbarn begrüßten sie nun auf der Treppe und fragten sie über ihr Leben aus. Ihre Mitschüler auf der Sprachschule, die meine

Tante seit acht Jahren besucht, hätten sich früher nie für ihre Gesundheit interessiert, jetzt aber würden sie sich stets erkundigen, wie es ihr ginge. Auch der Lehrer würde jedes Mal schmunzeln, wenn er sie sähe. Sogar ihre Zahnärztin hätte neulich irgendwie komisch geguckt, als meine Tante zu ihr kam.

Ich bezweifelte das. »Woher sollen all diese Menschen wissen, dass du meine einzige Tante bist, beziehungsweise die aus der Geschichte? Außerdem habe ich dich doch im Buch verfremdet und Schönhauser Allee statt Kreuzberg als Wohnort angegeben!«

»Das hat überhaupt nichts zu sagen, sie alle wissen, dass ich aus Odessa nach Düsseldorf und später nach Berlin gezogen bin. Wenn du noch ein weiteres Wort über mich schreibst, werde ich dich verklagen«, meinte sie.

Meinen großen Tantenroman kann ich nun vergessen. Dabei hätte ich so viel über meine Tante zu erzählen. Als Kind wurde ich jeden Sommer von meinen Eltern zu ihr nach Odessa geschickt. Dort, am Schwarzen Meer, sollte ich meine Schulferien verbringen. Meine Lieblingsbeschäftigung war aber nicht, mich an den Strand zu legen, sondern meine Tante zur Arbeit zu begleiten. Sie saß in einem städtischen Architekturbüro und fertigte Kanalisationsentwürfe an – zwanzig Jahre lang. Diese Beschäftigung war nicht besonders anstrengend. Mit ungefähr zwanzig weiteren Kolleginnen saß sie jeden Tag acht Stunden vor einem Reißbrett. Die Frauen tranken Tee, lasen Zeitungen und plauderten über ihr Privatleben. Auf jedem Reißbrett war ein großes Blatt mit komplizierten technischen Zeichnungen befestigt.

Bei meinem ersten Besuch zeichnete ich aus Spaß mit einem scharfen Bleistift einen kleinen Totenkopf mit Datum auf ihren Entwurf. Meine Tante merkte nichts. Im nächsten Sommer, als ich wieder nach Odessa kam und ins Büro meiner Tante ging, war der Totenkopf immer noch da. Und auch noch beim nächsten Mal. Erst nach drei Jahren offenbarte ich meiner Tante das Geheimnis. Meine Tante lachte nur darüber. Die staatliche Kanalisation funktionierte aber trotzdem anstandslos. So gewann ich meine ersten Erkenntnisse über die sozialistische Marktwirtschaft: Je weniger man an ihr herumbastelte, desto besser funktionierte sie!

Doch auch darüber darf ich nicht mehr schreiben. Also kein Wort mehr über meine Tante.

Früher war alles besser

Beim Fegen des Kinderzimmers und Aufsammeln der unzähligen Spielzeugteile – den ganzen zerstreuten Barbies und Kens mit herausgedrehten Händen und Füßen, den Gummidrachen mit abgekauten Schwänzen und dem kopflosen Spiderman – denke ich oft darüber nach, was dieser bunte, immer größer werdende Haufen eigentlich soll. Er soll doch wohl den Kindern ein Modell der großen Welt in ihrer ganzen Vielfalt bieten, damit sie spielerisch diese Welt kennen lernen und schneller und besser erwachsen werden. In Wirklichkeit aber hält dieser Haufen die Kinder vom Erwachsenwerden nur ab. Sie müssen erst einmal mit diesem ganzen Zeug fertig werden, und das ist weiß Gott nicht leicht.

Wir hatten dieses Problem nicht. Mein früherer Spielkamerad aus der Wohnung gegenüber, Andrej, und ich hatten nicht viel Zeug zum Spielen. Außer ein paar original russischen Plüschtieren besaßen wir nur drei Bauklötze. Damit konnten wir aber die unterschiedlichsten Dinge anstellen. Zum Beispiel spielten wir gerne Lebensmittelgeschäft: Der Verkäufer war ein Klotz, der Käufer war ein Klotz, und die Ware war auch ein Klotz. Es funktionierte gut, und wirkte absolut authentisch und realitätsnah. Heute braucht meine Tochter für dasselbe Spiel eine piepsende Minikasse und ganz viel Wechselgeld, vom teuren Personal ganz zu schweigen.

Unsere zwei sozialistischen Figuren – der Klotz-Verkäufer und der Klotz-Käufer – hatten sich ständig gestritten, meistens wegen der Preise: Der eine wollte immer billig verkaufen und der andere möglichst teuer einkaufen. Also warfen sie die Ware hin und her, bis sie hinter dem Sofa landete und auf geheimnisvolle Weise verschwunden blieb. Das hat aber Andrej und mich keine Sekunde lang traurig gemacht. Mit den restlichen zwei Klötzen spielten wir weiter, den Zweiten Weltkrieg beispielsweise. Ein Klotz war der Faschist, ein anderer der Rotarmist, der Letztere gewann jede Schlacht. Der Naziklotz flog nur so durch die Wohnung, einmal fiel er vom Balkon. Wir haben ihn gesucht, aber nicht sehr lange.

Wenn mein Sohn heute Lust auf Kriegsspiele hat, geht er in seine Waffenkammer. Bis er alle seine Schilder, Helme, Schwerter und Wasserpistolen zusammenhat, ist Moskau längst vom Feind besetzt. Sebastian ist trotzdem davon überzeugt, dass man für jeden Gegner eine spezielle Waffe braucht, das heißt dass man einen roten Drachen nur mit einem weißen Schwert besiegen kann und Spiderman stets vom Hubschrauber aus erledigt werden muss. Diese ewige Suche nach dem jeweils passenden Kriegsgerät zermürbt seinen Kampfgeist.

Wir haben damals nach dem endgültigen Verlust unseres Naziklotzes mit dem letzten übrig gebliebenen Krankenhaus gespielt. Andrej und ich waren die Ärzte, der verspielte Hund der Nachbarin war der Patient, und der Klotz war die heilende Tablette gegen alles. Der Hund wollte sich jedoch nicht freiwillig heilen lassen. Wir versuchten es zuerst mit Gewalt, wickelten dann aber, wie kluge Ärzte es immer tun, die Pille in eine Wurstpelle. Der blöde Hund verschlang den Klotz und wurde sofort kerngesund. Wir dagegen hatten nun gar kein Spielzeug mehr und wurden prompt erwachsen. Wenn meine Kinder heute Krankenhaus spielen, dann haben sie für jeden Patienten eine eigene Spritze – eine für die Katze Marfa, eine blaue und eine rosa für ihre Eltern und eine ganz große für den Opa, weil der sonst überhaupt nicht reagiert.

Sankt Martin

Als wir aus unserem materialistischen Vaterland in das romantische Deutschland auswanderten, hatten wir keine Ahnung von den hiesigen religiösen Sitten und Festen. Jedes Jahr im November zogen große Kindergartengruppen und Grundschulabsolventen in Begleitung ihrer Eltern mit brennenden Laternen singend an unseren Fenstern vorbei. Der Umzug endete jedes Mal an einem Kinderspielplatz, wo die Erwachsenen dann Würste aßen und Glühwein tranken, während die Kinder ihre Laternen auseinander nahmen, um zu gucken, wie sie funktionieren.

»Bald ist Sankt Martin«, hieß es Anfang November im Kindergarten, also mussten die Kinder Laternen basteln und die Eltern Würste einkaufen. Wer dieser Sankt Martin eigentlich war, fragten wir nicht. Wahrscheinlich ein Prediger, der sich für das Laternetragen und Würsteessen schon im Mittelalter eingesetzt hatte. Seine Botschaft wurde offensichtlich von der

Menschheit mit Begeisterung aufgenommen und er selbst heilig gesprochen. Die wahre Geschichte von Sankt Martin erfuhren wir erst Jahre später, als unsere Tochter in die Schule ging. Dort, in der ersten Klasse, besuchte sie fakultativ den Religionsunterricht. In unserer materialistischen Schule hatte es so etwas nicht gegeben. Fakultativ hatten wir nur Werkunterricht: Die Jungs quälten dort eine alte Bohrmaschine und versuchten, sich gegen Wetten Löcher in die Finger zu bohren. Die Mädchen lernten derweil das Stricken. Im romantischen Deutschland wurden stattdessen fakultativ Märchen erzählt.

»Sankt Martin war ein Soldat!«, verkündete Nicole zu Hause. »Einmal ging er mit anderen Soldaten vom Krieg zurück.

›Na, Martin?‹, fragten ihn die anderen, ›freust du dich denn nicht, dass du so gesund bist und nicht gestorben?‹

Aber Martin sagte: ›Seid still! Ich höre Stimmen!‹ Und das war die Stimme eines armen Mannes, der ganz blau war vor Kälte. Martin gab ihm ein Stück Brot und dachte, wie soll er essen, wenn er so blau ist? Dann hat Martin ein großes Stück seines Mantels abgeschnitten und dem armen Mann gegeben. Und nachts träumte er von Gott, wobei er selbst natürlich nicht wusste, dass das Gott war. Da kam einfach ein

Mann in seinem Traum, er hatte Martins Mantel an und sagte: ›Ich bin Gott!‹

›Wie, du bist Gott und hast meinen Mantel?‹, wunderte sich Martin.

›Weil nämlich‹, sagte Gott, ›alles, was du den Armen gibst, bekomme eigentlich ich.‹

›Wie alles?‹, wunderte sich Martin.

›Na, fast alles‹, sagte Gott, ›fast alles bekomme ich. Und wenn du mehr wissen willst, dann geh sofort zum Religionsunterricht.‹

Martin ging zum Religionsunterricht und lernte so gut, dass die anderen ihn zum Chef machen wollten. Er aber sagte: ›Nein, nein, nein! Lieber nicht!‹, und versteckte sich im Gänsestall. Alle haben nach ihm gesucht und riefen: ›Hallo, Martin, komm raus‹, konnten ihn aber nirgends finden. Plötzlich fingen die Gänse an zu schnattern.

›Okay, okay‹, sagte Martin, und so wurde er Chef vom Religionsunterricht«, erzählte uns Nicole.

Fünfmal haben wir uns inzwischen die Geschichte angehört und wissen bestens Bescheid. Unklar bleibt jedoch, wie der Chef vom Religionsunterricht auf die Idee mit den Laternen, Würsten und dem Glühwein kam. Wahrscheinlich wird das erst in der zweiten Klasse erzählt.

Was taugen junge Weihnachtsmänner von heute gegen das alte Väterchen Frost?

Ob Väterchen Frost und der Weihnachtsmann verwandt beziehungsweise zwei unterschiedliche Leute seien, fragten mich meine Kinder neulich. Auf diese Frage hatte ich keine einfache Antwort parat. Soweit ich mich erinnern konnte, war das Väterchen – oder auf gut Russisch »Opa Frost« – trinkfester als sein europäischer Kollege. In der Sowjetunion schaute er zusammen mit seiner Freundin Schneeflöckchen einmal im Jahr bei uns vorbei, nämlich am Abend des einunddreißigsten Dezember. Die beiden waren vom Betrieb meines Vaters beauftragt, allen Mitarbeitern, die Kinder hatten, einen Besuch abzustatten und eine Tüte mit Schokolade und anderen Süßigkeiten zu überreichen. Außerdem musste Opa Frost einen auf das Wohl der Familie trinken. Das Schneeflöckchen hatte die Aufgabe, auf Opa Frost aufzupassen, damit er gerade stand und nicht herumtorkelte.

Als Erstes besuchten die beiden die Familie des

Direktors, dann seines Stellvertreters, anschließend die des Buchhalters und schließlich die Familie des Leiters der Parteizelle. Mein Vater war als Stellvertretender Leiter der Abteilung Planwesen ein ziemlich wichtiger Mann im Betrieb. Unsere Familie stand also auch ganz oben auf der Liste von Opa Frost, auf jeden Fall unter den ersten zwanzig Adressen. Trotzdem konnte er bei uns schon kaum noch sprechen. Wir wohnten im fünften Stock in einem Haus ohne Fahrstuhl, und man hörte Opa Frost schon im Treppenhaus fluchen, wie er mit seinem Sack gegen die eine oder die andere Tür knallte.

»Na, Boris, geht's noch?«, fragte ihn mein Vater.

Opa Frost hatte eine Plastiknase ohne Nasenlöcher, sein Bart war schräg um den Hals gewickelt, ein Teil davon steckte in seinem Mund.

»Viel Freude für Ihre Familie«, flötete Schneeflöckchen bei ihrer Ankunft.

»Ich glaube, ich muss mich erst mal setzen«, sagte Opa Frost und nahm im Korridor auf unserem Schuhschrank Platz. Das Herumsitzen in der warmen Wohnung tat Opa Frost aber nicht gut. Er sprang auf und rief: »Wo ist das Kind?«

Meine Eltern schoben mich nach vorne.

»Na du, Junge, wie heißt du? Sehr gut, Wladimir. Hier ist etwas zum Knabbern für dich!«

Opa Frost übergab mir eine zerknitterte Tüte aus seinem halb leeren Sack, trank mit meinem Vater im Stehen einen Wodka, rülpste, drehte sich um und lief die Treppe wieder runter. Schneeflöckchen hinter ihm her.

»Nicht so schnell, Boris, ich möchte nicht, dass wir wieder im Krankenhaus landen wie letztes Jahr«, schrie sie.

»Scheiß drauf, die Kinder warten«, röchelte Opa Frost.

Ich hielt ihn damals für einen Beamten, einen weiteren Diener des Staates, der wie die Polizisten auf der Straße oder die Lehrer in der Schule zwar unangenehm, aber unvermeidlich war.

Hier in Europa ist alles viel komplizierter organisiert. Im Dezember sind hier gleich mehrere Männer mit Säcken unterwegs. In Holland zum Beispiel sind es drei: Am fünften Dezember wird der Sinterklaas zusammen mit dem Zwarten Piet, dem Schwarzen Mann, erwartet. Letzterer spielt die Rolle des Schneeflöckchens. Früher mussten sich die holländischen Pieter ihr Gesicht extra mit Ruß einschmieren, um realistisch zu wirken; seitdem sie viele Mitbürger aus Surinam haben, ist das jedoch nicht mehr nötig. Beide kommen laut der Legende aus Madrid, sie sammeln Stroh und Mohrrüben für ihre Rentiere, und der

Zwarte Piet wirft den artigen Kindern die Geschenke durch den Kamin. Die unartigen Kinder werden dafür zur Bestrafung nach Madrid verschleppt. Ihre Eltern ziehen dann freiwillig nach. Zu Weihnachten kommt noch der Weihnachtsmann, Santa Claus, der aber in Holland keine Geschenke verteilt und nur so durch die Gegend fliegt, manchmal fährt er den *Coca-Cola*-Truck.

In Deutschland sind Sankt Nikolaus und Santa Claus fast Klone. Sie haben oft die gleichen Geschenke und sind deswegen im kollektiven Bewusstsein der Kinderbevölkerung zu einer Figur verschmolzen: der des Weihnachtsmannes. In Berlin werden die meisten Weihnachtsmänner von der studentischen Arbeitsvermittlung engagiert. An manchen Dezemberabenden kann man zwei bis drei gleichzeitig in einem U-Bahn-Waggon erwischen, wie sie hin und her durch die Stadt pendeln. Einige rülpsen laut in den Sack. Wenn diese junge Weihnachtsmänner lange genug unterwegs sind, können sie sogar dem alten Opa Frost Paroli bieten.

Mein Vater als Geschäftsmann

Während seines Arbeitslebens blieb mein Vater dem Geschäftemachen fern. Bei uns gehörte früher alles dem Staat. Das hielt die Leute natürlich nicht davon ab, sich so stark mit dem staatlichen Eigentum zu identifizieren, dass sie es von ihren Arbeitsplätzen mit nach Hause nahmen und so das staatliche in Privateigentum verwandelten. Ein Freund meines Vaters arbeitete zum Beispiel in einer Fabrik, die Kämme produzierte – er hatte Tausende davon zu Hause. Zu jedem Feiertag oder Geburtstag bekamen seine Freunde Dutzende von Kämmen geschenkt; er selbst kämmte sich damit letztendlich eine Glatze. Ein anderer Bekannter meines Vaters arbeitete in einem Betrieb, in dem Kinderwagen zusammengeschraubt wurden. Ob beim Einkaufen oder bei der Rückgabe leerer Flaschen; er ging nie ohne einen Kinderwagen aus dem Haus.

Mein Vater aber war in seinen geschäftlichen Tätigkeiten behindert. Sein Betrieb, in dem er das halbe Leben verbrachte, produzierte aufklappbare Pontonbrücken zur Überwindung kleiner Flüsse. Sie waren für die sowjetische Landwirtschaft von großer Bedeutung: Wenn irgendwo während der Ernte zwei Panzer dringend über ein Flüsschen mussten, kamen die Klappbrücken meines Vaters zum Einsatz. Sie wurden auf einem LKW zum Einsatzort transportiert und dort so schnell aus- und wieder eingerollt, dass die feindlichen Agrarier nur noch staunten, wenn plötzlich die zwei Panzer direkt vor ihrer Nase auftauchten. Diese Pontons ließen sich aber kaum in Privateigentum verwandeln. Sie passten überhaupt nicht in unsere Wohnung. Kleinere Einzelteile versuchte mein Vater dennoch immer wieder in den Haushalt zu integrieren, womit er aber mehr Schaden als Nutzen anrichtete.

Zuletzt fand mein Vater sich damit ab. Er sprach so gut wie nie von irgendwelchen Geschäften, der Kapitalist in ihm schien für immer ausgelöscht zu sein. Erst als er in Rente ging, nach Berlin übersiedelte und auf einmal viel Freizeit hatte, entwickelte er kapitalistische Tendenzen, wie wir es nie für möglich gehalten hätten. Plötzlich fing er wie verrückt an, täglich neue spektakuläre Geschäftsideen auszuspucken. Laufend wollte er neue Produkte auf den Markt werfen, Profite erzielen und mit diesen Profiten dann noch mehr neue Produkte auf den Markt werfen. Mit meiner Mutter sprach er nur noch von Ich-AGs.

»Hat Papa etwa das falsche Programm im Fernsehen geguckt?«, fragte ich sie. »Irgendwelche Wirtschaftsmagazine auf n-tv?«

»Nein, eigentlich guckt er nur Sport«, meinte meine Mutter, »ich weiß auch nicht, was in ihn gefahren ist.«

Mein Vater ging in die großen Kaufhäuser, fand sofort Marktlücken und notierte sie. Zu Hause überlegte er dann, wie er aus eigener Kraft diese Lücken schließen könnte. Seine erste Idee überraschte uns alle. Es war ein Tannenbaum-Weihnachtstopf.

»Es geht doch nicht an«, erklärte mein Vater dazu, »dass die Leute sich für teures Geld einen Tannenbaum besorgen, nur um ihn zwei Wochen später wieder auf die Straße zu werfen. Wenn man einen Holzkasten von ausreichender Größe erwerben könnte, dass sich die Tanne bis zum nächsten Weihnachtsfest wohl fühlt, dann würden die Leute dafür Schlange stehen. Mit meinem Tannenbaum-Weihnachtstopf bekommen sie die Möglichkeit, ihren Tannenbaum richtig in der Wohnung einzupflanzen und das ganze Jahr über eine frohe weihnachtliche Stimmung zu haben.«

Mein Vater beschloss, sofort mit der Anfertigung des Prototypen zu beginnen: Weihnachten stand bereits vor der Tür. Er baute den Keller zu einer kleinen Hobbytischlerei um und kaufte haufenweise Holz und Werkzeug im Baumarkt. Die Produktionskosten wollte er so niedrig wie möglich halten: Der Topf durfte nicht zu teuer sein. Die Materialien waren aber doch nicht billig.

»Dann wird es halt ein teurer Topf«, tröstete sich mein Vater, »immerhin ist es Handarbeit!«

Seitdem sah man ihn kaum noch in der Wohnung, man hörte ihn nur im Keller arbeiten – und schimpfen. Die Fotos von seinen Erzeugnissen sollten auf Kinderspielplätzen aufgehängt werden; mein Vater war nämlich der Meinung, dass die Kinder auf seine Produkte besonders scharf wären. »Ein Tannenbaum in der Wohnung, das ganze Jahr über? Dann werde ich vielleicht auch jeden Tag aufs Neue Geschenke bekommen.« So würden die Kinder denken und ihre Eltern dazu bringen, die Weihnachtstöpfe meines Vaters zu kaufen, dachte er. Ich sollte mir für diese Fotos schon mal einen lustigen Werbespruch ausdenken. Den halben Tag verbrachte ich damit, etwas Passendes für die Produkte meines Vaters zu entwickeln, doch mir reichte es schon, das Wort »Tannenbaum-Weihnachtstopf« zu Papier zu bringen, schon brach ich in Tränen aus. Vor Lachen. Eigentlich ist mit diesem einen Begriff bereits alles gesagt, dachte ich und ergänzte ihn nur um das Wort »preiswert«. Dazu schrieb ich noch seine Telefonnummer auf, und fertig war die Annonce. Mein Vater machte inzwischen Werbung auf eigene Faust. Er stellte den fertigen Topf im Hinterhof seines Hauses auf, um die Nachbarn zu beeindrucken. Damit keine Missverständnisse entstanden, schrieb er mit gelber Farbe »Tannenbaum-Weihnachtstopf Nr. 1« drauf. Die Zahl sollte bei den Nachbarn den Eindruck erwecken, er habe noch viel mehr davon auf Lager.

Doch die Nachbarn meines Vaters schienen allesamt Analphabeten zu sein. Sie hielten seine Erfindung für einen neuen Mülleimer, extra vom Weihnachtsmann dort abgestellt, und über Nacht war der Tannenbaum-Weihnachtstopf Nr. 1 voll. Auch vom Kinderspielplatz rief keiner an. Meinem Vater dämmerte langsam, dass er möglicherweise etwas erfunden hatte, das nicht jeder haben wollte. Er gab aber nicht auf. In der kostenlosen Bezirkszeitung las er, dass in Pankow eine Werkstatt aufgemacht hatte, in der ältere Menschen Starenkästen bauen konnten. Danach betrachtete er sein Erzeugnis noch einmal etwas genauer, kippte es und stellte fest, dass es eigentlich ein Starenkasten war – nur eben für extrem große Vögel. Für Strauße zum Beispiel oder für eine Raben-Großfamilie.

Er bat mich, sofort bei der Rentnerwerkstatt anzurufen und denen zu sagen, sie bräuchten keine Starenkästen mehr zu bauen, er würde ihnen jederzeit welche zu einem angemessenen Preis liefern können.

Ich weigerte mich. »Diese Menschen wollen die Starenkästen bauen, weil sie sich langweilen und nichts zu tun haben, es sind keine Geschäftsleute, so wie du!«, versuchte ich ihn aufzuklären. »Sie machen sich mit ihrer Arbeit eine Freude fürs Leben.«

»Dann sind sie einfach verrückt!«, entgegnete mein Vater. »Das Leben ist doch unwichtig, wichtig sind nur geschäftliche Erfolge!«

Ich schüttelte den Kopf und überlegte leise, ob mir mit siebzig auch so eine Vollmeise drohen würde.

Nach einer Woche meldete sich mein Vater wieder bei mir – mit einer neuen Geschäftsidee. Er hatte anscheinend seine erste wirtschaftliche Niederlage gut verkraftet.

»Die Kästen und Töpfe sind Schnee von gestern!«, verkündete er strahlend. »Ich habe mir etwas viel Clevereres ausgedacht. Wir machen also Folgendes: Ich schreibe dir jetzt hundert Briefe mit klugen Ratschlägen fürs Leben und werde so tun, als ob ich sie dir schon immer geschickt hätte, seit dreißig Jahren bereits. Und du veröffentlichst sie nach meinem Tod bei deinem Verlag unter dem Titel *Die Briefe meines Vaters*. Das wird bestimmt ein großer Erfolg! Die Gage dafür teilen wir dann: Zwei Drittel bekomme ich.«

»Aber Papa, wozu brauchst du zwei Drittel, wenn du schon tot bist? Ein Drittel reicht da doch auch«, erwiderte ich.

»Mann, Sohn, bist du blöd! Ich würde doch nur so tun, als wäre ich gestorben, verstehst du? In Wirklichkeit würde ich höchst lebendig auf Dingsda – Teneriffa, Lanzarote oder wie sie alle heißen… na dort irgendwo weitermachen!«

Ich stellte mir vor, wie mein Vater auf Lanzarote weitermachte, in seiner Tischleruniform, die er nicht mehr ablegte, mit dem Hammer in der einen Hand und einer Säge in der anderen. Er wird dort Palmenblumentöpfe bauen, neue Bananensammelmaschinen entwickeln, alle Vulkane zubetonieren.

Freche Früchtchen unterwegs

Wie jedes Jahr hat unser Kindergarten »Freche Früchtchen« auch diesmal ein Konzert im Altersheim des Bezirks gegeben, sie sind irgendwie Partnerstätten. Vor zwei Jahren sang meine Tochter dort bereits das Lied »Wir sind die Frechen Früchtchen – und kommen aus Berlin«. Nun war mein Sohn dran, der sonst nie als großer Sänger aufgefallen ist. Ich holte ihn vom Altersheim ab. Er mochte nichts über seinen Auftritt sagen.

»Wie war es denn?«, quälte ich ihn. »Viele alte Omas da?«

»Nein«, meinte Sebastian, »mehr so junge Omas.«

Er habe den Text vergessen und nur so getan, als ob er singen würde, kam aber trotzdem gut an: »Die Omas klatschten wie verrückt.«

Vom Lied hatte er nur einen Vierzeiler auswendig gelernt, dafür aber anscheinend für immer: »Wir sind die Frechen Früchtchen – und kommen aus Berlin – So heißt auch unsere Kita – Da geh'n wir gerne hin!«

Zu Weihnachten beschlossen wir, Urlaub von Berlin zu nehmen. Für ein paar Tage in eine kleine lauschige Kleinstadt zu ziehen und Freunde zu besuchen. Auf beide »Freche Früchtchen« hat diese Reise einen großen Eindruck gemacht, glaube ich. Alle gingen dort so langsam über die Straße, und wenn zwei Bekannte sich von weitem sahen, dann riefen sie: »Hallo! Du wieder da? Was für eine Überraschung! Wann haben wir uns das letzte Mal gesehen? Ach, gestern Abend? Und wie geht es so?«

Auf den sauber gefegten und parfümierten Straßen saßen kleine lauschige Bettler auf bestickten Samtkissen. Sie lächelten und hielten sauber beschriebene Bettelschilder in der Hand. Die Bewohner gaben ihnen ein bisschen Geld und bedankten sich dabei. Sie schafften es immer wieder, sich jeden Tag erneut über ihre schöne kleine Stadt, die Kirche, das Rathaus und die tollen Nachbarn zu freuen und dass jeder Tag dort so herrlich ist. Alle wirkten so, als wären sie Kollegen.

»Sie sind aber nicht von hier?«, fragte uns der Wirt in einer Kneipe.

»Nee, wir kommen aus Berlin«, sagte ich.

»Da ist unsere Kita, da geh'n wir gerne hin«, ergänzte Sebastian.

Der Wirt nickte verständnisvoll. So hatte er sich wahrscheinlich schon immer Berliner vorgestellt, mit leichtem russischen Akzent und frechen Reimen. Zu essen bekamen wir von ihm nichts, wir waren zu spät dran, der Koch machte Mittagspause und mit ihm die ganze Stadt.

In der Kleinstadt machten alle immer alles zusammen. Alle gingen zur gleichen Zeit essen oder einkaufen, sie wählten zusammen Deutschlands Superstar und zappten nicht während der Werbung herum. Sie interessierten sich für alles, aber nicht zu doll. Zu Weihnachten installierten sie an ihren Fenstern große funkelnde Sterne, und wenn mal bei dem einen oder anderen in seinem Fenster nichts funkelte, dann klopften die Nachbarn vorsichtshalber an die Tür. Vielleicht war etwas passiert? Vielleicht brauchte der Mensch Hilfe? Vielleicht war er gestorben oder hatte einen Kurzschluss in der Leitung? Vormittags standen sie alle draußen in der Fußgängerzone, aber mit Einbruch der Dunkelheit wurden die Straßen dort sofort und freiwillig geräumt. Zum Durchdrehen schön war dort das Leben! So still und stressfrei.

»Wann fahren wir endlich zurück nach Berlin?«, quengelten die Kinder bereits am zweiten Tag.

Wintersport

Seit Jahrhunderten versuchen die Menschen die trostlose und dunkle Winterzeit mit Sport, Spiel und Spannung zu überbrücken, wobei neue Sportarten entstehen, die einiges über ihre Erfinder verraten. Die Deutschen mögen komplizierte, mit verschiedenen Gerätschaften überladene Spiele – und je mehr Regeln, desto besser. In diesem Winter staunte ich über das Eisstockschießen am Potsdamer Platz. Es wird mit vielförmigen Gegenständen um sich geworfen, wobei sie nicht auf andere Gegenstände treffen sollen, sondern knapp daneben, damit sie weiter mit anderen Gegenständen bewegt werden können. Mühsam und ordentlich werden die Eisstöcke des Gegners unter Beschuss genommen. Am Ende eines solchen Spiels ist oft unklar, wer nun wirklich gewonnen hat. So ein Eisstockschießen würde in Russland kaum jemanden reizen.

Wenn die Russen Lust aufs Spielen haben, gehen

sie an die frische Luft und klopfen proletarisch-brü-
derlich ein bisschen aufeinander ein, bis einer umfällt.
Derjenige, der stehen bleibt, hat gewonnen. Wenn
aber der Umgefallene eine Stunde später mit seinen
Freunden bei dem Gewinner wieder auftaucht, dann
hat dieser meistens verloren.

Auch bei solch einfachen Sportarten wie Schlitt-
schuhlaufen schaffen es die Deutschen, Regeln auf-
zustellen: Alle müssen sich immerzu im Kreis auf
dem Eis drehen, dabei alle in die gleiche Richtung
laufen und dazu noch Abstand zu dem vorderen Läu-
fer halten. Wo bleibt da der Spaß? Ich kenne Schlitt-
schuhlaufen anders. Wenn wir Russen uns aufs Glatt-
eis begeben, dann geben wir sofort Gas, nehmen Anlauf und knallen mit voller Wucht gegen die Wand,
am besten noch zu dritt oder viert. Je mehr es dabei
kracht, desto besser.

Auch beim winterlichen Spaß »Schneemann bau-
en« kann ich den Kindern hier nicht ohne Bedauern
zusehen. Mühsam kratzen sie stundenlang die dünne
Schneeschicht vom Gras und versuchen, daraus eine
Skulptur zu formen, wobei alles stimmen muss: zuerst das Unterteil, dann das Oberteil, dann sind noch
ein Eimer für den Kopf und eine Möhre für die Nase
erforderlich.

Wenn russische Kinder auf die Idee kommen,

einen Schneemann zu bauen, dann suchen sie zuerst nach einer passenden Vorlage. Sie wählen ein ruhiges Kind aus ihren Reihen und wälzen es so lange im Schnee, bis es von ganz alleine zum Schneemann wird. Den Eimer auf den Kopf und die Möhre ins Gesicht gibt es nur auf Bestellung. Danach kann der Schneemann eigentlich schon nach Hause gehen.

Jedes Volk hat seine ganz persönlichen Macken, wenn es um Wintersport geht. Die Japaner spielen zum Beispiel überhaupt nur vor dem Fernseher – elektronisch. Sie können ihre Spielprogramme so manipulieren, dass sie immer die Gewinner sind, und niemand trägt es ihnen nach. Die Franzosen können aus ungeklärten Gründen nicht wie alle übrigen Menschen bowlen, deswegen spielen sie Boule.

Nicht uninteressant sind auch die Ostfriesen. Sie spielen im Winter Boßeln, eines der alkoholischsten und verrücktesten Spiele der Welt. Dazu schieben die Ostfriesen eine große schwere Kugel vor sich her, immer in eine Richtung die nächstbeste Landstraße entlang. Dabei kippen sie vielfältige alkoholische Getränke. Anders als sonst gibt es bei diesem Spiel weder Gewinner noch Verlierer. Die Kugel rollt immer weiter, bis der Schnaps alle ist oder die Spieler von einer Brücke fallen oder die Landstraße an einem Deich endet oder der Frühling kommt.

Ibiza

Meine ganze Familie freute sich auf den bevorstehenden Urlaub. Über Pfingsten hatten wir zehn Tage auf Ibiza gebucht. Auf dem kleinen Foto im Reiseprospekt sah unsere Ferienoase nicht übel aus: ein kinderfreundlicher Club namens »Gala Pala« mit hauseigenem Strand, unzähligen Sportangeboten, Kinderbetreuung und Minidisko jeden Tag. Was braucht man mehr? Nur meine Frau machte sich ein wenig Sorgen des Fluges wegen. Von ihrer Flugangst geplagt, suchte sie sogar nach alternativen Möglichkeiten, um Gala Pala zu erreichen.

»Irgendwie haben es die Menschen früher doch auch geschafft, in den Urlaub zu fahren, ohne ein Flugzeug zu besteigen. Sie sind zum Beispiel mit Titanics rübergeschwommen.«

»Aber Liebling«, entgegnete ich, »die Zeiten sind längst vorbei, es gibt keine Titanic-Strecke nach Gala Pala. Selbst wenn es sie gäbe, würde allein die Fahrt dorthin mindestens zwei Wochen dauern, und wir haben nur zehn Tage Zeit!«

Meine Frau ging zum Allgemeinmediziner und erkundigte sich nach einem wirksamen Mittel gegen Flugangst. Der Arzt nahm eine große gelbe Packung vom Regal.

»Ich möchte Ihnen dies hier empfehlen, das nehme ich selbst immer mit auf die Reise. Direkt vor dem Abflug eine Pille schlucken, danach dürfte ihnen alles egal sein.«

Er klang überzeugend. Kurz vor dem Abflug nahm meine Frau eine Tablette aus der gelben Packung. Ich nahm gleich zwei – aus Solidarität. Das Zeug schien tatsächlich zu funktionieren, die Konzentrationsfähigkeit ließ sofort nach. Unsere Kinder, die medikamentfrei flogen, zappelten die ganze Zeit herum, mal wollten sie malen, dann aufs Klo, dann etwas trinken. Uns war alles egal. Nach zwei Stunden landeten wir auf Ibiza. Der Bustransfer zum Hotel dauerte fast länger als unser Flug. Wir versuchten, die Tabletten, die ursprünglich gegen die Flugangst bestimmt waren, auch gegen den Bustransfer einzusetzen. Es funktionierte. Der Bus fuhr rauf und runter, rauf und runter, hielt vor jedem kleinen Hotel auf der Insel und brachte eine Rentnergruppe zum örtlichen Hafen, wo sie auf eine kleine Titanic in Richtung Formentera umgelagert wurde. Die restlichen Touristen nervten den Busfahrer mit Fragen: Warum Gala Pala Gala Pala heiße, und wann man endlich dort sei. Uns war alles egal, auch wenn unsere gebuchte Ferienoase sich als die letzte Busstation erwies.

Gleich am ersten Tag mussten wir die Erfahrung machen, dass im Reiseprospekt nicht die ganze Wahrheit über diesen Club gestanden hatte beziehungsweise einiges von uns falsch interpretiert worden war. Nirgendwo war zum Beispiel erwähnt gewesen, dass dieses Gala Pala ein traditioneller Schwabentreffpunkt war. Alle zweihundert Urlauber kannten sich untereinander, sie kamen jedes Jahr zu Pfingsten nach Gala Pala, um tagsüber Volleyball zu spielen, sich abends Transvestiten-Shows anzugucken und um überhaupt die schwäbische Sau unter der heißen spanischen Sonne rauszulassen.

Den hauseigenen Strand mit kostenlosen Liegen und Schirmen gab es in Gala Pala tatsächlich, nur befand er sich nicht am Meer, wo man ihn vermuten würde, sondern zwischen einem Fußball- und einem Tennisplatz: direkt unter unserem Fenster. Wie versprochen, hatten wir ein Zimmer mit Meerblick bekommen, leider konnte man vom Meer nichts sehen, weil ein anderes Gebäude davor stand. Unsere Medizin war alle, wir regten uns tierisch auf.

Die Tagesordnung in Gala Pala unterschied sich von der in anderen Ferienoasen nicht im Geringsten. Um achtzehn Uhr dreißig fing das Abendessen an. Schon um sechs versammelten sich die hungrigen Schwaben vor dem Restaurant. Als gut erzogene Europäer bildeten sie erst einmal eine hübsche Schlange am Eingang, und die Familienväter schickten ihre kleinen Kinder los, um die besten Plätze an den besten Tischen zu reservieren. Die Alleinstehenden kamen dafür als Erstes rein und verdrängten die frechen Kinder von den Tischen.

Das Abendessen in Gala Pala war auch eine Art Freizeitaktivität, vergleichbar mit Fußball oder Volleyball. Sinn dieses sportlichen Wettbewerbs war es, den besten Platz in der Schlange vor dem Büffet mit dem Gegrillten zu erobern, dann mit einer Hand immer neue Teller hervorzuzaubern und mit der anderen die besten Stücke an Familie und Freunde weiterzureichen. Die Gewinner bei diesem Wettbewerb waren immer dieselben: das dicke Mädchen mit dem Adlertattoo auf dem Rücken; der Mann mit dem Kaiser-Schnurrbart und der Seemannsmütze auf dem Kopf sowie seine Lebensgefährtin, eine kleine Zwei-Zentner-Frau in Bikini und Minirock; außerdem der allein erziehende Vater mit zwei Töchtern. Sie standen schon um halb sechs vor dem Restaurant stramm.

Wie ein Bienenschwarm flogen die Urlauber durch die Restauranträume. Die Kinder mischten Apfel- und Orangensaft, die Erwachsenen gossen Weine verschiedener Farben in große Karaffen. Nur leere Fässer und Schweineknochen blieben jedes Mal zurück. Ein richtiges Fest der Sinne für den, der es mag.

Nach dem Essen ging die Minidisko los: Superman, Agadoo und Weo-Weo. Als Abschlusslied wurde immer ein Titel der »Kiddys Corner Band« aufgelegt: »Wir fahren mit der großen Eisenbahn.« Die Kinder bildeten einen Zug, die Eltern einen Tunnel. Der Zug fuhr los und kam nicht wieder auf die Bühne. »Gute Nacht, Kinder, geht ganz schnell schlafen, wir müssen die Bühne für das Erwachsenenprogramm vorbereiten«, winkten die Animateure den Kiddys hinterher.

Dieses Erwachsenenprogramm mieden wir immer, weil wir die Reste davon noch nach Mitternacht von unserem Balkon aus beobachten konnten. Nur einmal wagten wir uns zur großen Travestie-Show – mehr aus Schadenfreude als aus Neugier.

Am Anfang war es ziemlich lustig. Der Animateur Sven zog sich Frauenschuhe mit hohen Absätzen, ein Frauenkleid und eine Perücke an. Dabei jonglierte er mit Biergläsern und sang ein mir unbekanntes Lied. Die Animateurin Lisa zog sich Männerklamotten an und tanzte Flamenco. Die Zuschauer amüsierten sich über alle Maßen.

Danach tanzten die am meisten enthusiasmierten Aktivurlauber. Es waren die Gewinner bei den Abendessen. Der allein stehende Vater tanzte mit der Animateurin Lisa, der Seemann-Bart mit dem Minirock, das dicke Mädchen mit dem Tattoo auf dem Rücken kreiste um sich selbst. Die Familienväter und -mütter gingen schlafen. Die allein stehenden Männer blieben und bildeten eine Reihe an der Theke. Sie sammelten erotische Erlebnisse für die Nacht und hofften, dass noch etwas passieren würde: dass die Animateurin Lisa noch einmal Flamenco tanzte, dass die Zwei-Zentner-Frau im Minirock ihren Seemann verließ oder ein weiteres Mädchen mit Tattoo auf dem Rücken auftauchte, vielleicht sogar zwei. Es passierte aber nichts mehr. Irgendwann machte der Animateur Sven die Musik aus, und die Tänzer gingen nach Hause. Sie mussten früher als die anderen aufstehen, um die Frühstücksschlange zu organisieren. Die Alleinstehenden an der Theke schauten ihnen traurig hinterher.

Am Vormittag, wenn die Sonne besonders stark brannte, versteckten sich die meisten im Schatten der Bar oder blieben auf ihren Zimmern vor dem Fernseher mit deutschem Programm. Nur Familien mit

Kindern gingen zum Strand. Nicht zum schicken Hotelstrand am Fußballplatz, sondern zum richtigen kleinen Strand am Meer, der von einem pensionierten spanischen Piraten überwacht wurde. Er lief mit einem großen leeren Bierglas in der Hand durch die Gegend und kassierte für Schirme und Liegen. Umsonst war der Sand, das kristallklare Wasser und natürlich die Sonne.

Am Nachmittag belagerten Leute in Taucheruniform den Strand. Sie gingen mit schweren Sauerstoffflaschen, Bleigürteln und Unterwasser-Fotoapparaten ins Meer und kamen erst zum Abendessen wieder zurück. Müde, aber glücklich erzählten sie von den wunderbaren farbigen Fischen, Korallen und versunkenen Wracks, die sie angeblich unter Wasser besichtigt hatten. Sie zeigten einander ihre Fotos, auf denen leider gar nichts zu sehen war.

Der Tauchkurs »Die Wunder des Unterwasser-Cañons« für fünfzig Euro am Tag begeisterte immer mehr Urlauber. Die Nichttaucher durften dafür kostenlos eine große Qualle beobachten. Tag für Tag schwamm sie direkt ans Ufer und fiel jedes Mal einer anderen Kinderclique zum Opfer, was ihr allerdings nichts auszumachen schien. Am ersten Tag wurde sie von den zwei Töchtern des allein erziehenden Vaters entdeckt. Er war gerade aus dem tristen Alltag in die schöne Welt der Literatur geflüchtet und blätterte genüsslich in der Autobiografie des Autors Effenberg, *Ich hab's allen gezeigt*, als ihn seine Kinder überfielen.

»Guck mal, was wir gefunden haben«, schrien die Töchter und drückten ihm das klebrige Tier an die Brust. In der Sonne fing die Qualle sofort an, sich auf dem Vater aufzulösen.

»Werft sie sofort ins Wasser zurück, aber schnell!«, rief der Vater streng und schaufelte mit dem Effenberg-Buch die Qualle von seiner Brust.

Am nächsten Tag wurde dasselbe Tier von spanischen Minderjährigen entdeckt. Sie steckten die Qualle in einen Eimer und übergossen sie mit *Coca Cola*. Einigen Erwachsenen gelang es schließlich, sie zu befreien. Die Qualle blieb aber trotzdem am Ufer und beeindruckte alle Vorbeigehenden mit ihrer neuen Farbe. Unter dem Einfluss der *Cola* war sie violett geworden. Wahrscheinlich konnte sie die giftigen Farbstoffe nicht verdauen. Meine lieben Kinder wollten dem Tier helfen, seine natürliche durchsichtige Farbe wiederzugewinnen. Zu diesem Zweck beschlossen sie, die Qualle in *Sprite* einzulegen. So klug können nur Kinder sein. Um sie vor weiteren klugen Kindern zu retten, brachte ich die Qualle so weit in das Meer, wie es nur ging. Sollte sie doch als lebende *Coca-Cola*-Werbung die Taucher im Unterwasser-Cañon erschrecken!

Nach einer Woche Urlaub merkten wir, wie die gesamte Ferienkolonie langsam durchdrehte. Beinahe neunzig Prozent aller Urlauber hatten sich inzwischen bei Dieters Tauchschule angemeldet. Im Kinderbecken lagen Rentner mit Masken, Flossen und Schnorcheln, die eine Gratis-Schnupperstunde bei Dieter gebucht hatten. Sie bereiteten sich so auf die Tiefsee vor. Die bereits Geschulten standen in Taucheranzügen am Strand Schlange, da die Boote nicht alle Kursteilnehmer auf einmal mitnehmen konnten. Abends bei der Minidisko erzählten sie einander ihre Taucherlebnisse. Unsere Familie schien dem allgemeinen Taucherwahn gut zu widerstehen. Die Zeit zwischen dem Frühstück und dem Abendessen verbrachten wir am Strand, nach der Minidisko gingen die Kinder ins Bett, wir mixten uns Cocktails auf der Terrasse mit dem versperrten Meerblick, spielten Karten und stritten uns gelegentlich über den Wochentag.

»Heute ist Mittwoch«, sagte meine Frau, »noch zwei Tage, und wir fliegen nach Hause.«

»Heute ist doch erst Montag, niemals Mittwoch«, entgegnete ich, »gestern gab es nämlich Sardinen, und Sardinen gibt es hier immer sonntags.«

Wir schalteten den Fernseher ein, um den wahren Wochentag zu erfahren. Es war viel los auf der Welt:

Deutschland spielte gegen Schottland um eine Qualifikation bei der EM, in Berlin wurde der deutsche Filmpreis an den Mutti-Thriller *Good Bye, Lenin* vergeben, der FDP-Politiker Möllemann seilte sich mit einem Fallschirm aus viertausend Metern Höhe endgültig ab – nur welchen Wochentag wir hatten, wurde nirgendwo berichtet.

»Ist im Grunde auch egal«, gab meine Frau nach, »diese Wochentage sind sowieso alle ausgedacht, ob Montag oder Mittwoch, bald kommt auf alle Fälle der ›Wir-fahren-nach-Hause-Tag‹. Dann werden wir uns von diesem Urlaub erst mal richtig erholen.«

Salsa für meinen Vater

»Wann gehen wir endlich wieder zu Oma und Opa?«, drängten uns die Kinder.

»Heute bestimmt nicht, vielleicht am Wochen-ende«, antworteten wir. »Und überhaupt, warum wollt ihr plötzlich zu Oma und Opa, was haben sie euch für ein Kulturprogramm anzubieten?«

»Opa hatte letztes Mal gesagt, er will mit uns eine Mausefalle im Badezimmer bauen. Das letzte Mal haben wir eine in Omas Schlafzimmer gebaut, eine riesengroße, und Oma hat sie weggeschmissen. Dann hat Opa geschrien.« Nicole rollte mit den Augen und rief mit Opas Stimme: »Verdammte Scheiße! Wo hast du, verdammte Scheiße, meine Mausefalle versteckt?«

»Das kann doch nicht wahr sein!«, stöhnte meine Frau.

»Doch, doch«, meinte Nicole. »Und Oma sagt dann immer zu ihm: ›Viktor, wie kannst du so mit mir re-den?‹ Außerdem hat Opa mit Sebastian Werbung geguckt, wie ein Mann aus einer grünen Flasche trinkt und dann umfällt. Und danach hat Opa Sebastian das Rülpsen beigebracht. Er hat immer gesagt: ›Guck mal, Sebastian!‹, und hat ganz laut gerülpst.«

»Also, ich glaube euch kein Wort«, verteidigte ich meinen Vater.

»Ich schon«, bemerkte meine Frau dazu. »So wie ich deinen Vater kenne… An deiner Stelle würde ich sofort zu ihm gehen und das klären.«

Aber das Wetter war zu schön, und ich hatte überhaupt keine Lust auf Erziehungsgespräche mit meinem Vater. An einem dunklen Winterabend, mit einem Glas Whiskey und einer Zigarre vor dem Kamin tun sie den Beteiligten vielleicht gut, aber nicht, wenn die Sonne scheint.

»Respektiere bitte sein Alter«, entgegnete ich. »Mein Vater ist immerhin schon siebzig!«

»Ich habe durchaus Respekt vor dem Alter, er aber offensichtlich nicht«, meinte meine Frau. »Wie kann er sich in Anwesenheit der Kinder so verhalten! Ich habe den Kindern das Fernsehen für Erwachsene verboten. Und was soll das mit dem Rülpsen? Diese Art Bildung können wir nicht gebrauchen! Du musst mit ihm einfach darüber reden.«

Also rief ich meinen Vater an und verabredete mich mit ihm zu einem ernsthaften Gespräch.

Wir trafen uns in seiner Küche.

»Hallo«, sagte ich, »wie geht's denn so?«

»Alles Scheiße«, sagte er. »Früher wusste ich, wofür es sich zu leben lohnt – Sex, Sport, Sauna. Alles, was Spaß macht, darf ich jetzt nur noch einmal die Woche und nur auf Verschreibung des Arztes. Einmal Sex, einmal Sport, einmal Saufen. Ich meine Sauna. Das bringt alles nichts. Wahrscheinlich werde ich trotzdem sterben. Willst du Tee? Wo sind nur die Tassen, verdammte Scheiße?« Mein Vater lief in der Küche hin und her.

»Es gibt doch andere Sachen, die Spaß machen, Papa. Kultur zum Beispiel, ins Theater gehen oder Bücher lesen …«, sagte ich.

»Genau«, meinte mein Vater. »Ich bin stolz auf dich, mein Junge, dass du so verdammt kulturell bist. Kultur ist eine tolle Sache. Habe ich dir beigebracht. Kennst du die Kulturbrauerei? Ich habe mich dort für einen Salsa-Kurs eingeschrieben. Da kommen manchmal Frauen mit solchen Möpsen, das glaubst du nicht. Eins, zwei, drei, eins, zwei, drei … Kannst du mir Salsa-Musik auf Kassette überspielen? Damit ich auch zu Hause üben kann?«

»Mache ich, versprochen. Du musst mir aber auch was versprechen«, sagte ich. »Wenn du zum Beispiel mit kleinen Kindern spielst …«

»Schon verstanden«, nickte mein Vater. Er suchte immer noch nach den Teetassen. »Liebling, könntest du mir bitte helfen, die Teetassen zu finden«, rief er meiner Mutter im Zimmer nebenan zu.

»Aber natürlich, Viktor, sie sind wie immer neben dem Fernseher, wo du sie hingestellt hast.«

Wir tranken zusammen Tee und aßen Kuchen. Zu Hause suchte ich nach Salsa für meinen Vater.

Das Leben ist ein dunkler Park

Einmal wurde ich von einer Gruppe Gymnasiasten nach Pankow zu einer Lesung eingeladen. Die Veranstaltung sollte Geld für ihren Abi-Ball abwerfen, wobei sie mich als prominenten Köder benutzten. Tatsächlich kamen dann auch viele zahlende Gäste. Sie hörten eine gute Stunde einem Gymnasiasten-Streichquartett zu und dann meinen Geschichten. Dazu tranken sie Glühwein. Anschließend wollten sie alles signiert bekommen, was sie gerade in der Tasche hatten: Servietten, Aufkleber, Schulhefte, Zigarettenschachteln und sogar alte Stromrechnungen hielten sie mir vor die Nase.

Ein sympathischer junger Mann bat mich, seinen bereits bewilligten Antrag auf Anerkennung als Kriegsdienstverweigerer zu signieren – in Erinnerung an unsere Begegnung. Ich setzte meinen Wladimir darunter und las mit einem Auge das Dokument durch. Interessant, wie man sich heute vor dem

Wehrdienst drückt, dachte ich. Früher, hatten mir meine deutschen Freunde erzählt, musste man als überzeugter Christ auftreten, am besten barfuß und mit der Bibel in der Hand: »Es tut mir Leid, aber mein Glaube erlaubt es mir nicht, auch nur die kleinste Waffe in die Hand zu nehmen. Sonst alles, aber das eben nicht.« Und selbst dann wurde man nicht gleich in Ruhe gelassen, sondern von einem ganzen Gremium misstrauischer Erwachsener mit ausgeklügelten Fangfragen konfrontiert:

»Stellen Sie sich vor, Sie gehen durch einen dunklen Park, und plötzlich sehen Sie, wie Ihre Mutter beziehungsweise Oma, Tante, Schwester überfallen wird. Was würden Sie tun?«

Ich würde für sie beten!, wäre wahrscheinlich die richtige Antwort gewesen. Doch nicht jeder konnte so etwas über die Lippen bringen – und schon landete er bei der Armee.

Inzwischen kann es hier jeder Atheist locker schaffen, den Wehrdienst zu verweigern, es reicht schon, sich als Lusche zu inszenieren. Die Verbände der Kriegsdienstverweigerer empfehlen heute zum Beispiel folgende Argumentation: »Gewalt war nie ein Bestandteil meiner Erziehung. Schon als Kind habe ich es immer vermieden, an gewalttätigen Auseinandersetzungen teilzunehmen. Nachdem ich solche

Filme wie *Full Metal Jacket*, *Apocalypse Now* und *Der Soldat James Ryan* gesehen habe, wurde mir klar, dass ich unter keinen Umständen anderen Menschen mit Gewalt gegenübertreten kann. Außerdem würde ich niemals nachts mit einer meiner weiblichen Verwandten in einen schlecht beleuchteten Park gehen.«

Bei uns in der Sowjetunion hatte man als Christ oder Lusche keine Chance, den Wehrdienst zu verweigern. Nur als Psychopath. Der Wehrpflichtige wurde auch hier stets mit einem dunklen Park konfrontiert, musste dabei aber klare Gewaltbereitschaft ausstrahlen. Und sich dabei möglichst lässig mit einem leichten Grinsen an die Wehrkommission wenden:

»Es war schon immer mein Traum, ein richtiger Soldat zu sein, mit einer richtigen Knarre. Nun möchte ich gern das Maschinengewehr gleich am ersten Tag bekommen, am besten mit drei zusätzlichen Magazinen.«

Wenn man es noch schaffen konnte, mehr oder weniger glaubwürdig über seine enge Beziehung zu Handgranaten zu plaudern, bekam man eine Überweisung zum Psychiater und zwei Wochen stationäre Untersuchung zwischen richtigen Patienten und mit echten Tabletten. Danach war man für den Rest seines Lebens von imaginären Spaziergängen in dunklen Parkanlagen befreit. Seine vermeidliche Aggressivität durfte man dann für immer an den Nagel hängen.

Ich habe diese Chance damals nicht genutzt, weil ich wahrscheinlich Angst vor der eigenen Aggressivität hatte. Sie wurde mit den Jahren nicht geringer. Auch Filme wie *Full Metal Jacket* konnten mir nicht helfen. Ebenso wenig *Rambo*, *Top Gun*, *Pearl Harbor*, *Manhattan Love Story* und *Nackte Kanone*, obwohl der letzte eigentlich ganz in Ordnung war. Ich konnte inzwischen keine amerikanischen Kriegsfilme mehr sehen. Man wurde schon vom Anblick des Filmplakats aggressiv. Jeder Kinobesuch war für mich zu einer Herausforderung geworden. Allein schon dieser AOL-Werbeträger vorab:

»Also Leute, der Film fängt an, jetzt anfangen zu fummeln und die Handys ausmachen. Ist das dein Handy? Ich mach dich platt!«

Das machte mich rasend! Ich versuchte, diese unangenehmen Gefühle zu unterdrücken, indem ich die Augen schloss und mir vorstellte, ich würde durch einen dunklen Park gehen. Und mir käme der AOL-Werbeträger entgegen…

Also Leute: Das ganze Leben ist ein dunkler Park. Dort auf den Bäumen sitzen Mütter, Großmütter und Geschwister, die es nicht rechtzeitig geschafft haben, vor Einbruch der Dunkelheit nach Hause zu kommen. Sie warten, bis es wieder hell wird. Mindestens ein Christ, eine Lusche und ein Psychopath sind dort immer unterwegs. Das Böse lauert hinter jedem Busch.

»Ist das dein Handy?«

»Ja, das ist mein Handy, du Pisser!«

Sie schleichen immer weiter durch den Park. Es ist kalt, es ist dunkel, sie haben sich ein wenig verlaufen, sie haben ein wenig Angst, geben es aber niemals zu.

Berliner Kaninchen

Oft kommt der Mensch in den Besitz von Dingen, die er gar nicht haben will. Neulich fuhr unsere Freundin Katja mit ihrem Freund zu einem Bummel durch die *Karstadt*-Filiale in Wilmersdorf. Sie kaufte dort preiswert eine Jacke aus Lederimitat. Anschließend gingen sie in den vierten Stock, wo sich das Restaurant befindet. Um dahin zu gelangen, musste man durch die zoologische Abteilung der Filiale gehen. Dort saßen hinter Glas Hunderte von Kaninchen, die sich kaum bewegten und nur mit ihren roten Augen vor sich hinstarrten. Das vorbeigehende Publikum schienen sie nicht wahrzunehmen. Ein Kaninchen aber hoppelte auf Katja zu und kratzte am Glas. Es hatte als Einziges sehr große Ohren, die auf dem Boden schleiften.

Katja blieb stehen, das Kaninchen auch, es schaute sie an und richtete dabei seine Ohren auf. Das Tier gehörte zur edlen Rasse der Langohrkaninchen, es sah sehr gut aus und kostete neunundzwanzig Euro und neunzig Cent.

Das kann doch nicht wahr sein, dass eine Lederimitatjacke hundertneunzig Euro kostet und ein lebendiges Wesen neunundzwanzig neunzig!, dachte Katja und kaufte kurz entschlossen das Kaninchen. Am nächsten Tag ging sie mit ihm zum Tierarzt, der sich sehr über das Tier freute:

»Ach, diese Kaninschen, meine Lieblingstierschen!«, rief er und attestierte es als weiblich, jung und gesund. Also wurde das Tierchen nach Katjas bester Freundin Irinchen genannt.

Eines Abends kam Katjas Freund spät und leicht angetrunken nach Hause und meinte, das gehe doch nicht, dass Irinchen keinen Freund habe. Alle hätten Freunde, und es sei Irinchens gutes Recht, auch jemanden zu haben. Gleich am nächsten Tag wurde ein Wasja für fünfzehn Euro in einem Laden in Mitte gekauft und sofort bei dem lieben Veterinär kastriert. »Macht fuffzich Euro beim Kaninschen«, meinte er anschließend.

Eine Woche später meldete sich eine alte Bekannte von Katja mit der Bitte, ihr Kaninchen Lisa für zehn Tage bei sich aufzunehmen, weil sie in Urlaub fahren wolle. »Ihr habt ja eh schon zwei, eins mehr macht da doch keinen großen Unterschied.«

Nach vierzehn Tagen hatte sie sich noch immer nicht gemeldet. Entweder kam sie nicht aus dem Urlaub zurück, oder sie wollte Lisa einfach loswerden, vielleicht auch beides. Auf jeden Fall war Katja plötzlich Besitzerin von drei Kaninchen, die alle aufeinander hockten und die Wohnung versauten.

»Hätte mir jemand vor einem Monat erzählt, dass ich innerhalb weniger Wochen zu einer Kaninchentante werden würde, hätte ich ihm nicht geglaubt«, meinte Katja.

Doch nach einer Weile fanden sich alle Beteiligten damit ab. Die beiden Mädels Irinchen und Lisa spielten miteinander, der kastrierte Wasja saß da, aß und kackte für drei. Dann wurde Irinchen schwanger. Ein Wunder!, dachte Katja. Der kastrierte Wasja kam nicht in Frage. Der einzig dazu fähige Mann in der Wohnung, der mit den Kaninchen in Berührung kam, war ihr Freund, der aber auch nicht in Frage kam. Also blieb nur Lisa übrig. Katja nahm sie und ging erneut zum Tierarzt. Er untersuchte Lisa noch einmal und lachte.

»Ach nee, das hab isch nisch gleich erkannt, Lisa ist ein schlaues Kaninschen – ein Hermaphroditschen. Die weiblichen Organe, die konnte ich gleisch mit dem Finger finden, aber die männlischen hat Lischen versteckt, kluge Bestie!«, freute sich der Tierarzt. »Das

200

kommt bei Kaninschen oft vor, dass sie Hermaphroditschen sind.«

»Wie kann man das wieder gutmachen?«, fragte ihn
Katja.

»Es kommt darauf an, was Sie haben wollen«,
meinte der Tierarzt. »Männschen oder Weibschen. Ist
mir egal, ob wir das eine Zunähen oder das andere
Abschneiden – das eine wie das andere kostet fuffzich
Euro.«

Man sah dem Arzt an, dass er unter Umständen für
einen Fünfziger dem Kaninschen auch die Ohren abschneiden und an den Hintern nähen würde, so egal
waren ihm die Kaninschen. Katja traute sich nicht, ir-
gendeine Operation an Hermaphroditschen Lisa vor-
nehmen zu lassen. Sie schenkte Lisa einer Minderjährigen zum Geburtstag. Das Kaninchen Irinchen
wurde trotzdem noch einmal von Papa Lisa schwanger – in seiner Abwesenheit. Das sei bei Kaninschen
durchaus möglich, erklärte der Tierarzt. Dann wurde
Papa Lisa auch noch selbst schwanger, wahrscheinlich hat er sich selbst befruchtet. Echte Witzbeutel-
schen, diese Kaninschen.

Mehr über die Welt erfahren

Diese frisch gebackenen Schulkinder werden schnell arrogant. Seit meine Tochter zur Schule geht, schleppt sie jeden Tag ranzenweise neues Wissen nach Hause. Oft und gerne erzählt sie uns nun, wie es in der Welt eigentlich zugeht. Zum Beispiel, dass man Jungs allesamt in den Mülleimer schmeißen kann, auf Mädels sei dagegen immer Verlass. Sie unterrichtet uns auch über die richtige Zahnpflege, über die Schädlichkeit des Rauchens und die Regeln des Straßenverkehrs. Ihr jüngerer Bruder, der noch im Vorschulalter ist, sträubt sich dagegen, fremdes Wissen anzunehmen. Er entwickelt sich auf eigene Faust – hauptsächlich mit Disney-Filmen sowie Außerirdischen- und Dinosaurier-Malheften. Die täglichen Quiz-Shows, die meine Frau mit ihm in der Küche veranstaltet, um sein Wissen über die Welt zu mehren, haben bis jetzt nichts genutzt.

»Sag mal, Sebastian, was bringen uns die Hühnchen?«

»Fell«, sagt Sebastian.

»Red keinen Quatsch, Sebastian. Hühnchen bringen uns Eier.«

»Okay. Eier«, nickt Sebastian.

»Die Kühe bringen Milch, die Schafe – Fell. Und jetzt konzentrier dich! Was bringen die Hühnchen?«

»Eier.«

»Die Kühe?«

»Eier.«

»Die Schafe?«

»Eier.«

»Überleg doch mal!«

Sebastian tut so, als würde er überlegen. Im Geist hatte er schon längst all diese Kühe und Eier zu einem Omelett zerhackt. Ihm ist ganz egal, wo sie herkommen.

»Das geht so nicht weiter«, meinte meine Frau zu mir. »Mich nimmt er nicht ernst. Du musst mit ihm reden. Mit vier Jahren muss das Kind Neugier entwickeln, er muss mehr über die Welt erfahren«, wiederholte sie immer wieder. »Er muss mehr über die Welt erfahren – mehr!«

»In Ordnung, ich übernehme das«, sagte ich und schloss mich mit Sebastian im Kinderzimmer ein. Ich beschloss, bei der Weltwissensvermittlung die altbewährte Armeemethode anzuwenden. Damit wurden uns Soldaten zum Beispiel völlig überflüssige Kenntnisse über amerikanische Tiefflieger eingetrichtert. Einfach nur durch tausendfache Wiederholung und direkten Augenkontakt. Unser Fähnrich hatte immer behauptet, dass man auf diese Weise selbst aus einem doofen Kaninchen einen Akademiker machen könnte, wenn man es nur konsequent und lange genug betrieb. Bei mir hat es gut funktioniert. Vieles aus der Zeit habe ich vergessen, aber die Anzahl der Bomben in einer B52 ist für immer in meinem Kopf hängen geblieben. Diese Zahl spiegelte sich in den durchsichtigen Augen des Fähnrichs, als er uns anbrüllte: »Alarmstufe rot, drei feindliche Flugzeuge sind im Anflug auf unsere Position, Entfernung sechshundert Kilometer! Wie viele Bomben? Wie viele Bomben?«

»Also, Sebastian«, sagte ich zu meinem Sohn, »wir fangen nun bei den Hühnern an, und ehe du aus diesem Zimmer gehst, bist du ein weiser Mann.«

Ich stellte ihn in Reihe und Glied auf.

»Alarmstufe rot, feindliche Hühner sind im Anflug auf unsere Position, was bringen die Hühner?«

»Eier!«

Nächster Alarm: »Feindliche Kühe sind im Anflug auf unsere Position.«

»Milch!«

»Schafe?«

»Fell.«

»Hühner?«

»Eier!«

»Bären?«

»Fell!«

Ob Bären wirklich Fell bringen?, überlegte ich. Also ungern, unfreiwillig, nur wenn sie von Jägern dazu gezwungen werden.

»Und was bringen die Jäger?«, fragte Sebastian.

Eier? Nein, ganz sicher nicht. Jäger bringen eigentlich nichts. Manchmal ein paar Enten, aber definitiv keine Eier. Kein Mensch braucht ihre Eier. Also noch einmal:

»Kühe?«

»Milch!«

»Jäger?«

»Enten!«

»Katzen?«

»Fell!«

Meine Lehrmethode schien gut zu funktionieren. Sebastians Welt kam in Bewegung, plötzlich brachten alle irgendetwas irgendwohin.

»Und was bringen die Menschen?«, fragte er mich.

»Die Menschen bringen gar nichts, sie passen nur auf alle auf, damit alles gut läuft«, erklärte ich. »Sie ermöglichen den Hühnern zu nisten, sie melken die Kühe und helfen dem Bären mit dem Fell. Sie lagern alles, zählen nach und essen es auf. Sie sind die einzigen Lebewesen auf diesem Planeten, die wirklich Bescheid wissen, wie es läuft. Und dieses Wissen hast du jetzt auch, mein Sohn. Oder? Was bringen die Hühnchen?«

»Die Hühnchen bringen Hündchen!«, antwortete Sebastian stolz.

Ich gab nicht auf.

Service-Mentalität

In dem berühmtesten russischen Theaterstück *Verstand schafft Leiden* von Gribojedow, das noch heute in allen Schulen meiner Heimat als scharfe »Kritik an den verruchten Sitten der Monarchie« geschätzt und gelehrt wird, sagt der Held einen Satz, der zu einem Sprichwort geworden ist. Als ein alter General ihn kritisiert: »Sie haben doch überhaupt nichts zu tun und meckern nur ständig herum – warum gehen Sie nicht und dienen dem Staat?«, antwortet Tschatskij: »Zu dienen wäre ich froh, aber bedienen kotzt mich an.«

Mit diesem Satz ist auch meine Generation groß geworden. Alle Jungs wollten Kosmonauten, die Mädchen Ballerinas werden. Mit dem Fall des Sozialismus landeten wir aber auf dem freien Markt, wo ganz andere Berufe gefragt sind. Es gab nicht genug Raumschiffe und Tanzbühnen, dafür aber ganz viel Platz im Dienstleistungsbereich. Also wurden die meisten verhinderten Kosmonauten und Ballerinas Friseure, Kassierer oder Verkäufer hinter Ladentresen. Sie haben inzwischen gelernt, wie man Haare schneidet und Geld zählt, aber bedienen wollen sie trotzdem nicht. Ähnliches gilt für das wiedervereinigte Deutschland. Die Westdeutschen schimpfen oft und gerne auf die Ostdeutschen, wenn sie an der Ostsee Urlaub machen oder, noch schlimmer, im Osten einkaufen gehen. Bei sich zu Hause in Baden-Baden werden sie in jedem Laden von allen Seiten ausführlich bedient, und jeder Wunsch von ihnen wird als Befehl begriffen. Im Osten dagegen bekommen sie höchstens ein »Guten Tag« oder »Ham wa nich!« zu hören. »Diese sozialistische Mentalität!«, stöhnen die Kunden. »Das ist ja wie in Russland.«

Meine Landsleute sehen das anders. Sie schätzen das Service-Niveau des Ostens sehr hoch ein. Neulich hatte ich Besuch aus Moskau. Meine Cousine mit ihren Zwillingen wohnte bei uns und ging jeden Tag auf die Schönhauser Allee, um einzukaufen. Und immer wieder wunderte sie sich, wie nett und hilfsbereit die Verkäufer hier waren, vor allem geduldig, selbst dem hämischsten Konsumenten gegenüber.

»Stell dir mal vor«, erzählte meine Cousine mir, »gestern rebellierte ein Dicker in einem Jeansladen:

›Wieso sind die Jeans so teuer, ich habe vor zehn Jahren genau dieselbe Hose zum halben Preis bekommen!‹ Also bei uns hätte er sofort eine in die Fresse gekriegt, aber die Verkäuferin hier lächelte ihn nur an und sagte gar nichts. Diese Dienstleister, die haben vielleicht eine Geduld.«

Als ich das hörte, musste ich gleich an meine Mutter denken, die neulich in Moskau einkaufen gegangen war und eine Verkäuferin in einem Lebensmittelgeschäft gefragt hatte: »Können Sie mir nicht sagen, was auf dieser Dose steht, ich kann es nicht richtig lesen?«

»Dann kauf dir eine Brille«, hatte die Verkäuferin zu ihr gesagt und weiter gelangweilt in ihrer Zeitung gelesen.

Meine Mutter war regelrecht begeistert von so viel Unverschämtheit, und weil so etwas in der Ex-DDR nicht mehr vorkommt, ist der Osten für die durchreisenden Russen Westen. Ich dagegen lebe permanent hier und weiß von daher, dass man auch auf der Schönhauser Allee ein gutes Stück meiner alten Heimat treffen kann. Zum Beispiel sagte einmal eine ältere Kassiererin in der großen *Kaiser's*-Filiale der Allee Arcaden zu ihrer jungen Kollegin: »Mach den Laden dicht, geh in die Mittagspause.« Die Schlange vor der Kasse war gute zwanzig Meter lang.

»Aber ich habe gerade so viele Kunden«, meinte die Neue verzweifelt.

»Mach zu, Herr Kaiser wird sich für deine Mühe nicht bedanken«, rief die ältere Kollegin laut und schaute über die Schlange hinweg Richtung Decke.

Das erinnerte mich sofort an eine Szene aus unserem Moskauer Supermarkt *Kunzevo*. Dort hatte die Kassiererin plötzlich böse über die Köpfe der Schlange stehenden Menschen geschaut und gerufen: »Wozu habe ich fünf Jahre lang Festigkeitslehre studiert?« Alle schwiegen. Niemand wusste, wofür die Kassiererin fünf Jahre lang Festigkeitslehre studiert hatte. Viele wussten wahrscheinlich nicht einmal, was Festigkeitslehre überhaupt war. Es breitete sich eine bedrückende Stille in der Menge vor der Kasse aus. Die Kassiererin holte zweimal tief Luft und rief: »Wozu, frage ich euch. Hier wird jetzt nicht mehr bedient!« – und ging.

»Wo will sie denn hin, was soll diese Schweinerei?«, regte sich ein Mann in der Schlange auf.

»Halt's Maul, sie hat fünf Jahre Festigkeitslehre studiert«, sagten die anderen zu ihm. Sie hatten Mitleid mit der Kassiererin.

Die Sache mit der Service-Mentalität ist damit eigentlich klar. Der Verkäufer ist wie der Käufer. Ob in Moskau oder in Berlin, sie sind nicht irgendwie besonders reizbar oder menschenfeindlich, sie haben bestimmt ein großes Herz für Tiere, und viele lieben ihren Job tatsächlich. Nur oft haben sie einfach keine Lust. Und das ist eine echte Errungenschaft der alten Arbeiterbewegung.

Die Raubpflanze

Der Sommer schien endgültig vorbei zu sein. Die letzten Wahlplakate krümmten sich noch an den Bäumen. Die Sommermenschen verschwanden, die Wintermenschen eroberten die Straßen. Nachts kam die Kälte. Alle Blumen auf unserem Balkon knickten ein, außer dem »Morgenrötchen«. Es würde wahrscheinlich selbst am Nordpol überleben. Meine Frau hatte diese Pflanze vor zwei Jahren, als wir im Nordkaukasus ihre Eltern besuchten, einem alten Schwindler auf dem Markt abgekauft, nur weil er ihr Leid tat. Er war nicht mehr nüchtern und stand mit einer einzigen Zwiebel da, obwohl es auf diesem protzigen Markt alles im Überfluss gab.

Der alte Mann erzählte, dies sei eine Raubpflanze von ungeahnter Schönheit, die aus einem geheimen genetischen Labor geklaut worden sei. Sie würde sich von Mücken und Fliegen ernähren und jeden Monat anders riechen. Eine Wunderpflanze also. Wir lassen uns gern mit solchen Geschichten verarschen. Also kaufte meine Frau dem alten Genetiker die Zwiebel für drei Dollar ab. Natürlich glaubte ich nicht, dass aus dieser Zwiebel überhaupt irgendetwas werden würde, schon gar nicht auf unserem Berliner Balkon. Nicht einmal eine stinknormale Gladiole.

Meine Ungläubigkeit hielt sich nicht lange. Schon nach einem Monat kam aus der Zwiebel ein ganzer Busch heraus, der von meiner Frau zärtlich »Morgenrötchen« genannt wurde und inzwischen über die Hälfte unseres Balkons einnimmt. Das »Morgenrötchen« bekam nie eine Blüte, es aß auch keine Mücken oder gar Tauben, es rülpste nicht und sah auch nicht besonders toll aus. Aber es wuchs und wuchs. Schweigsam und unaufhaltsam verdrängte die Pflanze selbst uns vom Balkon.

Ein interkultureller Dialog mit dieser grünen kaukasischen Bedrohung war unmöglich. Was wollte sie mit ihrem ständigen Wachstum erreichen? Ich glaubte, das Problem der Pflanze »Morgenrötchen« war, dass sie nichts zu tun hat. Sie sollte einmal ihr Pflanzendasein überdenken und zum Beispiel anfangen, wie die anderen Pflanzen Sauerstoff zu produzieren oder tatsächlich Mücken zu jagen. Ich hielt sie für faul. Meine Frau dagegen hielt diese Pflanze für »intelligent« und »lebenslustig«. Außerdem erinnerte dieses »Morgenrötchen« sie an das gesunde ländliche Leben, wo alles blühte, wuchs und gedieh.

Meine Tochter meinte neulich, sie würde am liebsten zu ihrem nächsten Geburtstag auch etwas Lebendiges haben. Sie zeigte mir das Bild, das sie gemalt hatte.

»Ganz toll«, sagte ich, »du hast eine sehr sympathische Schnecke gezeichnet. Leider können Schnecken im Winter nicht leben. Sie schlafen sofort alle ein.«

»Papa, hast du etwa keine Augen?«, konterte meine Tochter empört. »Das ist keine Schnecke, das ist eine kleine Kuh. Sie ist menschenfreundlich und außerdem eine große Hilfe im Haushalt. Hätten wir eine kleine Kuh zu Hause, dann müsstest du nicht jeden Tag literweise Milch nach Hause schleppen. Dann könnte Mama unsere Kuh in der Küche melken und fertig.«

Ich stellte mir vor, wie meine Frau in unserer Küche mitten in einer »Morgenrötchen«-Plantage eine kleine Kuh melkt, und war von der Idee sofort hingerissen. Vielleicht machen wir noch Schönhauser-Allee-Käse daraus.

Zwei zweieiige Zwillinge
entdecken Berlin

Meine Cousine Jana aus Moskau rief uns an und erzählte, dass es ihr momentan schlecht gehe. Das Wetter sei beschissen, ihr Job eine einzige Qual, die Katze krank, die Kinder frech und faul, der Mann ständig betrunken, das Geld ständig alle. Uns ging es gerade gut, unsere Kinder waren zahm, die Katze schwanger und glücklich, das Wetter optimal.

»Du kannst doch zu uns kommen«, schlug ich ihr leichten Herzens vor, »ein kleiner Urlaub wird dir gut tun. Und bring deine Kinder, deine Katze und deinen Mann mit, wir haben viel Platz und einen Balkon.«

Zwei Wochen später kam Jana nach Berlin, ohne Katze und Mann, dafür aber mit ihren zweieiigen Zwillingen Tim und Tom. Beide sahen gleich aus und waren zehn Jahre alt. Schon am Bahnhof Lichtenberg fingen sie an, das Ausland für sich zu entdecken.

»Verstehen alle diese Menschen Russisch?«, fragte

Tom. »Nein? Dann können wir sie beschimpfen, wie wir wollen. Dürfen wir zum Taxifahrer ›blöde Sau‹ sagen?«

Ununterbrochen stellten sie Fragen, nacheinander, durcheinander, oft im Chor. Meine Cousine kannte ihre Kinder gut und wusste, dass diese Fragen rein rethorischer Art waren. Sie antwortete nicht. Ich dafür umso mehr. Zu Hause interviewten mich die Zwillinge weiter. Ausführlich und präzise. Drei Wochen lang. Der Tag fing früh an. Um sieben spürte ich, wie eine unbekannte Kraft mich aus dem Schlaf riss. Ich öffnete die Augen – die zweieiigen Zwillinge standen neben meinem Bett und betrachteten mich aufmerksam.

»Hast du geschlafen? Warum hast du geschlafen?«

»Warum nicht?«, konterte ich.

»Wo gehst du hin? Ins Bad? Was willst du im Bad? Duschen? Wieso duschen? Hast du viel Geld?«

Ich versteckte mich für eine Weile unter der Dusche. Als ich rauskam, standen die beiden vor der Tür.

»Warst du unter der Dusche? Warum sind hier alle Häuser so alt und klein? Wie heißt Deutsch auf Deutsch? Wo liegt dein Geld?«

Zuerst versuchte ich, ehrliche Antworten zu geben, kam aber auf Dauer nicht hinterher und verstummte. Ich machte sogar ein böses Gesicht und knirschte

mit den Zähnen, wenn sie mich ansprachen. Das beeindruckte die Zwillinge aber in keiner Weise. Meine
Cousine war weder an Berliner Architektur noch an
spannender Unterhaltung interessiert. Sie wollte nur
ein wenig Ruhe haben und reservierte sich gleich am
ersten Tag einen tollen Platz auf dem Balkon. Unsere
Balkontür ließ sich auch von außen verriegeln, so war
Jana nun den ganzen Tag sicher. Sie rauchte und las
Bücher, die sie aus Moskau mitgebracht hatte: *Harry
Potter* auf Russisch, *Im Wahn der Liebe* und *Das zerbrochene Herz.*

»Jana, dein einer Sohn will Milch mit Apfelsaft mi-
schen, darf er das?«, schrie ich durch die Balkontür.
»Dein anderer Sohn hat schon zwei Kilo Pommes
verschluckt und will noch mehr. Ist das okay?«

Jana war fest davon überzeugt, dass ihren Zwillingen nichts schaden konnte, egal, was sie aßen, tranken oder sonst taten. So ging es drei Wochen lang. Wir
hatten uns schon alle an die Zwillinge gewöhnt. Ich
konnte sogar Tim von Tom unterscheiden. Da klapp-
te Jana ihre Romane zu und fing an, ihre Sachen zusammenzupacken – sie musste nach Moskau zurück.
Mit dem Taxi brachten wir sie zum Bahnhof Lichtenberg. Die Zwillinge waren etwas dick geworden,
sie hatten Heimweh nach Russland. Das hinderte sie
aber nicht daran, uns noch ein letztes Mal mit Fragen

zu bombardieren: »Was ist das für ein Wagen? Ein deutscher Wagen? Wie heißt deutscher Wagen auf Deutsch?«

Ich wünschte allen eine gute Reise und winkte mit einem Taschentuch dem Russenzug hinterher. Zu Hause angekommen, konnten wir uns lange nicht an die bedrückende Stille gewöhnen. Von unserem Besuch fehlte bald jede Spur. Nur drei vom Regen durchnässte Bücher lagen noch eine Weile auf dem Balkon und wurden langsam von Tauben voll geschissen: *Harry Potter* auf Russisch, *Im Wahn der Liebe* und *Das zerbrochene Herz*.

Ein Spaziergang auf der Schönhauser Allee an einem besonders heißen Tag

Alle Spiele haben wir bereits gespielt, zwei Liter Apfelsaft ausgetrunken und alle Blumen auf dem Balkon mehrmals begossen. Ich greife zum letzten Spiel, dem Mauer-Puzzle, das ich erst vor kurzem bei uns an der Ecke in einem Ramschladen gekauft habe – zum Sonderpreis von neunundneunzig Cent. Mit diesem Puzzle lässt sich die Berliner Mauer wiedererrichten, und zwar von beiden Seiten, Ost und West. Ein tolles Ding zum Zeit vertreiben mit vielen lustigen Soldatenfiguren und Zeichnungen. Sebastian wehrt sich dagegen. Auf dem Mauer-Puzzle steht auch in großen Lettern: »Achtung! Aus mehreren Gründen nicht für Kinder unter zehn Jahre geeignet.« Mein Sohn ist erst vier Jahre alt und findet Mauerbau langweilig.

Also lassen wir alles stehen und liegen und gehen auf die Schönhauser Allee spazieren. Als Erstes begrüßen wir den großen schwarzen Punk-Hund mit einer Binde um den Bauch, der neben dem *Burger King* wacht. Jeden Morgen, wenn wir zum Kindergarten gehen, sehen wir, wie sein großer staubiger Punk-Besitzer ihn in Binden einwickelt: Mal hat das Tier einen Verband um die Pfote, mal um den Hals und heute eben um den Bauch, damit der Hund Mitleid erregend wirkt und seinem Besitzer zu ein wenig Kleingeld verhilft. Wir kennen dieses Pärchen schon lange und wissen inzwischen: dem Hund geht es gut, er ist gesund und riecht nach Bier, wie sein Besitzer auch. Beide liegen fast auf der Straße, der Punk mit einer Bierdose, der Hund mit ständig offenem Maul, als träumte er, dass ihm ein paar fette Tauben ins Maul fliegen oder vielleicht sogar ein Cheeseburger. Auf der Schönhauser Allee ist alles möglich. Sebastian macht den Hund nach.

»Halt deinen Mund zu«, sage ich zu ihm.

»Ich esse Wind«, kontert er. »Oh, lecker ist der Wind!«, meint er anschließend und schüttelt den Kopf. Dabei gibt es heute überhaupt keinen Wind, das Thermometer an der Apotheke zeigt vierunddreißig Grad, der Himmel ist glasklar – ein Wetter zum Durchdrehen.

»Ich habe hier noch ein bisschen Bier.« Der Punk hält mir seine Bierdose vor die Nase. »Soll ich es vielleicht wegschütten? Ich glaube, ich habe gar keine

Lust mehr«, überlegt er genüsslich. Die Punks in unserer Gegend sind sehr verwöhnt.

Wir ziehen weiter und bleiben am Schaufenster unserer Videothek kleben. Dort, in einem großen Fernseher, kann man rund um die Uhr auf alte bekannte Gesichter treffen – die Biene Maja, Silvester Stallone, Sharon Stone und die Teletubbies. Außerdem kennen wir die rothaarige Gaby, die hinter dem Tresen in der Videothek arbeitet. Doch sie haben keine Klimaanlage im Laden, drinnen ist es noch heißer als draußen, und die Hitze treibt uns zurück an unser Eck. Dort verstecken wir uns in unserer Stammkneipe, dem Bar-Restaurant *Amsterdam*.

Hier ist es angenehm kühl, die Bedienung freundlich, alle sehen wie Zwillinge aus, haben die gleichen Tattoos an den gleichen Stellen und ähnliche Frisuren. Rund um die Uhr hört man denselben Techno-Titel, was gut fürs Herz ist, sagen jedenfalls die Ärzte. Im *Amsterdam* sitzen die Jungs meistens mit Jungs zusammen und die Mädels mit Mädels, und alle haben einander lieb. Genau wie in Sebastians Kindergarten. Ich bestelle ein alkoholfreies Getränk mit dem szenetypischen Namen »Leck my Pussy«, dazu einen Apfelsaft für Sebastian. Neben uns auf der Bank sitzen zwei ältere Herren in Anzügen und knutschen. Manchmal stoßen sie mit den Glatzen an.

»Warum knutschen die Opas?«, fragt mich mein Sohn. Er rutscht näher zu den beiden und schaut sie freundlich an. Sebastian mag es, wenn die Menschen einander lieb haben. Plötzlich verdunkelt sich draußen der Himmel, man hört einen Knall, ein Donnerwetter, die Feuerwehrwagen rauschen an der Kneipe vorbei.

»Mein Herz!«, schreit ein dicker Gast, »es schlägt nicht mehr.«

»Es geht los!«, meint mein Sohn und kichert.

Unsere Dialekte

»Wachsen eure Kinder deutsch oder russisch auf?«, fragte mich mein alter Bekannter Andrej, ein russischer Journalist.

Wir wussten es nicht so recht.

»Am wichtigsten sind immer die ersten Worte, die ein Kind von sich gibt«, klärte uns Andrej auf. »Wenn die ersten Worte russische waren, dann sind eure Kinder Russen«, meinte er.

Doch selbst diese einfachen Kriterien brachten in unserem Fall keine Klarheit. Denn die ersten Worte unserer Kinder waren international. Zuerst »Mama« und »Papa«, dann »Auto« und etwas später, ziemlich überraschend, »Idioten«. Letzteres wurde bei meinem Sohn Sebastian schnell zu einem Lieblingswort. Dabei hatte das Wort »Idioten« für ihn nichts Abwertendes, es war eher ein Grußwort. Wenn Sebastian gut ausgeschlafen in seinem Kinderwagen zum Kindergarten rollte, winkte er freundlich den Menschen auf der Straße zu und rief begeistert: »Idioten! Idioten!« Unserem Bekannten Andrej sagten wir, das sei hier so üblich, unsere Kinder sprächen »Berliner Dialekt«.

Trotzdem machten wir uns Sorgen. Wo hatte der kleine Junge nur ein solches Wort her? Bei uns zu Hause konnte er das nicht aufgeschnappt haben. Vielleicht im Kindergarten? Das hielt ich auch für ziemlich unwahrscheinlich, denn von den Erzieherinnen beziehungsweise Kindergartengenossen meines Sohnes hatte ich Derartiges noch nie gehört. Die einzige Quelle, die in Frage kam, war mein Vater, also Opa Vitja. Er hatte manchmal eine etwas depressive Lebenseinstellung, besonderes wenn er unter dem Einfluss eines Sechserpacks *Berliner Kindl* stand. Dann schimpfte er gelegentlich vor sich hin.

Doch der Opa stritt alles ab, niemals würde er sich in Anwesenheit von Minderjährigen solche Begriffe erlauben. Wenn die Enkelkinder zu Besuch da wären, spräche er nur Hochrussisch, behauptete mein Vater. Er fühlte sich verleumdet und forderte eine Gegenüberstellung. Sebastian sagte weiterhin zu allem und allen »Idioten«.

»Du darfst so etwas zu den Leuten nicht sagen«, belehrte ich ihn. »Das sind Fußgänger.«

Dieses Wort war jedoch für ihn noch zu kompliziert, und etwas Besseres war mir nicht eingefallen. Also blieben wir beim »Berliner Dialekt«. Nicht nur die Menschen auf der Straße, auch die Nudeln auf dem Teller, Flugzeuge am Himmel und Seifenblasen auf dem Balkon waren »Idioten«.

Ich hatte ein schlechtes Gewissen, weil ich meinem Sohn keine gute Alternative für diesen umfassenden Begriff geben konnte. Ich musste selbst noch viel lernen. Gerade letzte Woche bekam ich von meiner Verlagslektorin das redigierte Manuskript meines neuen Romans zurück. »Lieber Wladimir«, schrieb mir die Lektorin, »in deinem neuen Roman kommt einundsiebzigmal das Wort ›Scheiße‹ vor. So etwas erwartet man von einem Kaminer nicht.« Deswegen hatte meine Lektorin fleißig einundsiebzigmal »Scheiße« in »Mist« umgeschrieben. In manchen Fällen gab ich ihr Recht, wenn zum Beispiel in einem Satz mehr als zweimal ein und dasselbe Wort vorkommt, dann wirkt es irgendwie arm. Sonst konnte ich mir die Sorgen meiner Lektorin nur mit »Münchner Dialekt« erklären. Denn mein Verlag sitzt in München und ich in Berlin. Zwischen beiden Städten liegen Welten. Zu jedem Scheiß sagte man in München Mist und bei uns umgekehrt. Was soll's! Fast jeder hier hat einen eigenen Dialekt. Ich suchte laut nach neuen Worten. »Idioten!«, sagte mein Sohn und lachte.

Fauna auf der Schönhauser Allee

Wer in einer Großstadt aufwächst, hat kaum Zugang zur Tierwelt. Wenn zum Beispiel meine Kinder in den Zoo gehen, sind sie ziemlich misstrauisch den dortigen Bewohnern gegenüber. Die staubigen Kamele, die ständig um sich kackenden Elefanten und die schlecht riechenden Löwen nehmen sie als Lebewesen fast gar nicht wahr. Viel vertrauter wirken auf sie dagegen die alten Bekannten aus dem Fernsehen: die mutige Biene Maja und der junge intelligente Hirsch Bambi oder die anderen sprechenden Tiere aus den Kinderbüchern. Sie sehen gut aus, tragen saubere Unterwäsche und riechen nicht nach vergammelten Fritten.

Deswegen haben meine Kinder von ihrem letzten Zoobesuch nur solche Erinnerungen behalten, die nichts mit der Fauna zu tun haben. Mein vierjähriger Sohn schwärmte noch lange von einem großen verrosteten Rohr, das dort in einer Ecke gelegen hatte

und in das er hineingekrochen war, und meine Tochter war von der U-Bahn-Fahrt und der Fahrkarten-
Kontrolle viel mehr beeindruckt als von den Tieren
im Zoo. Mehr Herz für Tiere kann man von Groß-
stadtkindern kaum erwarten, denn in ihrem alltäg-
lichen Leben treffen sie so gut wie nie aufeinander.
Die Fauna bei uns im Prenzlauer Berg ist recht karg.
Es gibt nichts außer ein paar Heuschrecken und Rat-
ten am Arnimplatz, die von dem dortigen Alkoholi-
ker-Verband ernährt werden, und ein paar platt ge-
fahrenen Tauben auf der Schönhauser Allee, die man
den Kindern am besten gar nicht zeigen soll, weil
sie ihre ursprüngliche Vogelform endgültig verloren
haben und zum Zweck der Tierwelterklärung nicht
mehr taugen.

Darüber hinaus kann man an manchen sonnigen
Tagen mit Glück ein oder sogar mehrere Kaninchen
im Ernst-Thälmann-Park an der S-Bahn-Kurve erwischen. Doch diese Viecher haben keinen natür-
lichen Ursprung. Sie werden dort von den zahlreichen Kanincheninhabern des Bezirkes hingebracht,
die einfach zu viel davon haben oder keinen Platz
mehr auf dem Balkon. Im Ernst-Thälmann-Park
vermehren sich die überflüssigen Kaninchen munter
weiter. Immer wieder beobachte ich hier außerdem
einen fetten Wellensittich, der auf dem Asphalt sitzt.

Diese kleinen niedlichen Wesen neigen dazu, aus Fenstern zu fallen. Wahrscheinlich wollen sie sich selbst und anderen beweisen, dass sie fliegen können. Und oft stimmt es sogar, sie können es. Nur wohin? Also sitzen sie da und überlegen. Sofort umkreisen Dutzende von hungrigen Spatzen einen solchen Wellensittich. Sie meinen es nicht gut mit ihm. Um in Prenzlauer Berg als Vogel zu überleben, muss man klein, schnell und asphaltgrau sein, keine Angst vor der Straßenbahn haben und im Flug einen halben Kilo schweren Döner Kebab aus den Händen von Fußgängern reißen können. Das kann ein Wellensittich nicht! Nein, das kann er nicht. Diese bunten Exoten haben auf der Straße keine Chance. Deswegen fliegen sie, wenn sie nicht blöd sind, zu den Rieselfeldern am Rande der Stadt und bilden dort Schwärme.

Mein Freund und Kollege Helmut Höge erzählte mir neulich, dass die wild gewordenen Wellensittiche an der Falkenberger Chaussee sogar alle andere Arten verdrängt haben und nun die Ränder von Lichtenberg dominieren. Und das ist wiederum das Gute an einer Großstadt, dass hier jede Fauna ein kleines Streifchen Erde für sich findet, wo sie dann weiterwachsen und gedeihen kann, wenn sie nicht von einem Laster überfahren wird.

Die wahre Natur

Nachdem unsere Katze Marfa zum zweiten Mal Mutter geworden war, verlor sie jeglichen Appetit. Das herkömmliche Katzenfutter sprach sie überhaupt nicht mehr an. Tag für Tag lag sie auf einem Heizkörper, aß nichts und wollte nicht mit uns spielen. Die Katze wurde depressiv, sie brauchte einen Kick, etwas, was sie wieder zum aktiven Leben erwecken konnte.

Ich versuchte es mit Frischfisch, denn irgendwie war mir in Erinnerung geblieben, dass Katzen in der freien Natur auf Fisch standen. Also kaufte ich ein Stück Kabeljau für Marfa. Es lag zwei Tage in der Küche auf dem Boden, stank bis in den Flur und wurde von der Katze nicht einmal eines Blickes gewürdigt. Meine Frau meinte, die Katze würde nur dann auf so einen Fisch anspringen, wenn sie ihn sich selber gefangen hätte. Meine Kinder meinten, die Katze brauche gar keinen Fisch, sondern eine Maus.

Zumindest würden Katzen gerne Mäuse fangen, und das bringe in das Leben beider Lebewesen einen gewissen Kick. Diese Information hatten die Kinder aus der Zeichentrick-Serie *Tom und Jerry* bezogen, in der sehr überzeugend dargestellt wurde, wie sich Katzen und Mäuse wechselseitig vor Depressionen bewahren.

Also gingen wir in ein Zoogeschäft, um dort eine Maus für unsere Katze zu erwerben. Der Laden war voller lustiger Tierchen, die alle ganz echt aussahen. Am Tresen stand eine Schlange, die aus zwei Leuten bestand: einem jungem Mädchen, das dem Verkäufer ihre acht Kaninchen aufschwatzen wollte und damit drohte, sie andernfalls eigenhändig im Laden umzubringen. Danach war ein Student dran, der sich nicht entscheiden konnte, ob er sich nun eine Schildkröte kaufen sollte oder nicht. Er nervte den Zoohändler ziemlich.

»Es ist ein wichtiger Schritt im Leben, verstehen Sie?«, entschuldigte sich der Student für seine Unentschlossenheit. »Ich will mir einen echten Freund kaufen, also fürs ganze Leben, und wenn er in einem Jahr stirbt, dann habe ich nur Liebeskummer davon. Außerdem ist so ein Freund nicht gerade billig. Ich will deswegen ganz sichergehen, dass diese Schildkröte gesund ist.«

Der Verkäufer sah schon ziemlich blass aus. »Schildkröten leben sehr lange«, murmelte er. »Diese hier kann Sie unter Umständen sogar überleben!«

»Das wird nicht passieren, da werde ich schon aufpassen«, erwiderte der Kunde ungerührt. »Ich möchte nur ganz sicher sein, dass sie gesund ist. Sonst werde ich mich an sie gewöhnen und dann...«

Der Verkäufer verlor die Geduld. »Wer wann stirbt, das kann nur Gott wissen!«, schrie er fast, »dafür kann ich keine Garantie übernehmen!«

»Das ist mir klar«, meinte der Kunde, »aber angenommen, die Schildkröte stirbt, würden Sie mir dann in dasselbe Schild eine neue Kröte reinstecken?«

»Definitiv nicht!«, meinte der Zoohändler.

Der Student ging mit leeren Händen aus dem Laden.

»Nur Perverse heute!«, regte sich der Verkäufer auf.

»Die Menschen drehen immer mehr durch, je weiter sie sich von der wahren Natur entfernen«, setzte ich noch einen drauf. »In einer Großstadt verlieren sie jeglichen Sinn für Realität, kaufen eine Schildkröte als Freund und wollen auch noch gleich kostenlos ein paar Ersatzfreunde mitnehmen, wenn der Erste es mit ihnen nicht aushält.«

»Genau! Genau so ist es!«, bestätigte der Verkäufer. »Was kann ich für Sie tun?«

»Nun ja«, fuhr ich fort, »unsere Katze hat in der letzten Zeit keinen Appetit mehr auf nichts, und ich sehe, Sie haben hier so viele appetitliche kleine Mäuse, da dachte ich…«

Der Zoohändler wurde plötzlich ganz blass im Gesicht, dann zischte er: »Raus hier!«

Also je weiter sich die Stadtbewohner von der wahren Natur entfernen, desto bescheuerter werden sie, auch und gerade die Zoohändler machen da keine Ausnahme.

Das Bessere
ist der Feind des Guten

Als Kind lernte ich die Politik zu verachten. Die Zeitungen sollte man nur als Verpackungs- oder Klopapier benutzen, die Namen der Politiker nur in Anekdoten erwähnen. Die Politikkenntnisse meiner Zeitgenossen waren damals auf das Notwendigste begrenzt. Man wusste, der regierende Parteiapparat bestand aus batteriebetriebenen Robotern mit defekter Sprachfunktion, dicke Krähen auf der Kremlmauer arbeiteten für den KGB, und das amerkanische U-Boot, das regelmäßig im Moskauer See auftauchte, wollte nur gucken, ob noch alles beim Alten war.

Das sowjetische Grundgesetz war das einzige Buch in unserer Schulbibliothek, das kein einziges Mal ausgeliehen wurde und jahrelang auf einen potenziellen Leser wartete. Wahrscheinlich wäre der potenzielle Leser sogar angenehm überrascht worden, bestimmt hätte er sich gefreut über die vielen Rechte, die er im Sozialismus genießen durfte. Aber er ließ auf sich warten. Den realen Nichtlesern waren ihre Rechte anscheinend egal.

Ganz anders ist es hier im Westen, wo jeder sich als Teil des Systems fühlt. Sogar auf der Penner-Bank am Arnimplatz scheinen alle in die Intrigen der großen Politik eingeweiht zu sein. Dort hört man schon zu früher Stunde solche Sprüche wie: »Deine Sozis haben doch die ganzen Reformen versaut«, und: »Ich kann seine Argumentation nicht nachvollziehen.« Dazu wird dermaßen heftig mit Bierdosen gestikuliert, dass man die Runde am liebsten sofort verlegen will: raus aus dem Park und rein ins Parlament. Erst in Deutschland lernte ich die richtigen Kommunisten kennen, außerdem noch Trotzkisten, Marxisten, Anarchosyndikalisten und, nicht zu vergessen, Maoisten. Der chinesische Sozialismus fand in Westeuropa anscheinend viel mehr Freunde als sein sowjetischer Halbbruder.

In den Siebzigern zogen viele junge Intellektuelle in Deutschland freiwillig aufs Land, um sich umzuerziehen und von den Bauern zu lernen. Aber anders als in China konnte man in Deutschland die Bauernphilosophie auch in jeder großstädtischen proletarischen Kneipe studieren, deswegen zogen viele auch gleich wieder zurück. Ein guter Freund von mir hat trotzdem und immerhin zehn Jahre auf dem Land

verbracht und kauft auch heute noch gerne maoistische Literatur. Neulich zeigte er mir ein maoistisches
Werk, das Joschka Fischer seinerzeit übersetzt hatte.

Der maoistische Sozialismus, der hier als wahr und
unverfälscht galt, war in der Sowjetunion logischerweise als abtrünnig und durchgeknallt eingestuft
worden. Aber nicht von Anfang an. Meine Mutter erzählte mir, dass es früher in Moskau viele chinesische
Studenten gegeben hatte. Sie waren die fleißigsten,
die bescheidensten und die zielstrebigsten von allen.
Während die übrigen Studenten oft zum Tanzen in
den Gorki Park gingen und am nächsten Tag die ersten Unterrichtsstunden verschliefen, waren die Chinesen immer pünktlich zur Stelle. Sie lernten ihre
Fachliteratur Seite für Seite auswendig. Jeder hatte
einen Mao-Anstecker am Kragen und eine Mao-
Bibel in der Tasche. Stalin unterstützte die chinesischen Genossen anfangs mit Waffen und Maschinen
und bekam dafür regelmäßig aus China skurrile Geschenke, die eine Zeit lang im Museum der Revolution ausgestellt wurden. Besonders beeindruckend
waren die Reiskörner, auf denen berühmte Mao-
Sprüche wie »Lasst hundert Blumen blühen, lasst
hundert Schulen miteinander wetteifern« auf Russisch und Chinesisch eingraviert waren, mit einem
Mao-Porträt in Farbe noch oben drauf.

Wahrscheinlich haben gerade diese Reiskörner Stalin misstrauisch gemacht. Zuerst wollte er es den Chinesen gleichtun und Propaganda-Kartoffeln mit seinen Sprüchen anfertigen lassen, aber die Chinesen weigerten sich, ihre Technik zu verraten. Daraufhin bekam Stalin es mit der Angst zu tun: Was wäre, wenn Mao seine gesamten Werke auf Reiskörnern tonnenweise als politische Literatur über Russland ausschüttete und dadurch das ganze Volk zum Maoismus bekehrte? Also wies Stalin die fleißigen Chinesen außer Landes und schickte zusätzlich Panzer an die Grenze.

Als ich zu studieren anfing, gab es keine chinesischen Studenten mehr. Es gab welche aus Äthiopien, Angola, Kuba, Kambodscha, Vietnam und dem Libanon, aber keinen einzigen aus China. Und von den vielen Mao-Zitaten auf den Reiskörnern ist nur eines im Bewusstsein des Volkes haften geblieben: »Das Bessere ist der Feind des Guten.« Diese Weisheit schien im Alltag nach wie vor gut zu funktionieren. Nach dem fünften Bier ging es einem gut. Es könnte noch besser sein, dachte man, sagte aber dann zu sich selbst: »Lass mal. Das Bessere ist der Feind des Guten.« Und wenn man sich daran hielt, war man am nächsten Morgen dem Vorsitzenden Mao ziemlich dankbar.

Irgendwas

Jede neue Wohnung hat ihre eigenen Gespenster, die zuerst besiegt werden müssen. Zwei Tage nach ihrem Umzug rief meine Mutter bei mir an und meinte: »Wir hätten damals bei der Besichtigung etwas aufmerksamer sein sollen, ich glaube nämlich, wir haben eine Menge übersehen.«

»Was denn zum Beispiel? Es war doch ein Erstbezug, alles wurde neu installiert«, entgegnete ich.

»Im Klo ist irgendwas«, sagte meine Mutter.

»Irgendwas Fremdartiges?«, forschte ich vorsichtig nach.

»Ich bin mir absolut sicher, es kommt von oben. Heute stand ich früh auf, ging ins Badezimmer, und das Klo war voll mit irgendwas.«

»Vielleicht ist Papa noch früher als du aufgestanden und hat vergessen zu spülen.«

»Niemals«, meinte meine Mutter, das hätte sie bestimmt bemerkt, weil Papa für irgendwas immer mindestens eine Stunde brauchte und oft dabei sang. »Komm bitte vorbei, wir müssen etwas unternehmen.«

Ich ging zu meinen Eltern.

»Es ist weg!«, berichtete meine Mutter, als sie mir die Tür öffnete. »Es kam von alleine und ist von alleine verschwunden. Ich habe es wirklich gesehen, halt mich bitte nicht für verrückt!«

Ich ging nach Hause. Kaum war ich da, klingelte schon das Telefon. Mein Vater war dran.

»Es ist wieder da!«

Mein Vater freute sich – wie immer, wenn er sich in seiner Theorie bestätigt sah, wonach alle Welt voller Schurken ist und jede gute Wohnung bloß eine Falle.

»Ich habe gleich gesagt, etwas kann mit dieser Wohnung nicht stimmen! Für so wenig Miete so viel Komfort! Sie haben uns verheimlicht, dass die Kanalisation kaputt ist. Wir wohnen im ersten Stock, das heißt, das gesamte Irgendwas von oben kommt bei uns an! Heute früh war es rot!«

Ich rief bei der Verwaltung an, die versprach, einen Installateur zu schicken. Der Meister kam pünktlich auf die Minute. Das Klo war bei seinem Erscheinen natürlich sauber.

»Wir machen jetzt ein kleines Experiment«, sagte der Meister. »Ich gehe zu Frau Kirsch nach oben und bitte sie um die Erlaubnis, einen Farbstoff durch ihr Klo zu spülen, und dann sehen wir weiter. Einverstanden?«

»Ja«, sagten wir.

»Also, ich habe hier einmal Grün und einmal Blau«, der Mann holte zwei Gläschen aus seiner Tasche. »Für welche Farbe entscheiden Sie sich?«

»Ist doch egal«, sagte ich, »machen Sie es in Blau!«

Der Installateur klingelte oben an der Tür, sprach kurz mit Frau Kirsch und rief uns zu: »Achtung! Ich bin drin.«

Wir starrten in die Schüssel. Nichts kam. Der Installateur kehrte zurück.

»Na, sehen Sie, ist also doch alles in Ordnung.«

Meine Mutter bemerkte traurig: »Jetzt werden mich alle im Haus für verrückt halten.«

Zusammen begleiteten wir den Installateur zur Tür. »Na dann«, sagte er.

Plötzlich hörten wir meinen Vater aus dem Badezimmer rufen: »Es ist da! Es ist grün!« Mein Vater kämpft immer bis zuletzt.

Der Meister musste noch einmal ran.

»Grün! Wie interessant!«, sagte er. »Ich habe Blau runtergespült. Wahrscheinlich hat Frau Kirsch noch von sich etwas Gelbes dazugegeben. Blau und Gelb zusammen ergeben nämlich Grün.«

»Was soll diese Farbenlehre? Erzählen Sie uns lieber, was man dagegen unternehmen kann«, unterbrach ich den Meister.

»Gar nichts«, sagte er. »Das Hauptabflussrohr ist niemals wirklich vertikal, es gibt immer einen Winkel, weil die Häuser sich mit der Zeit ein bisschen bewegen. Was durch das Rohr kommt, fällt also nicht senkrecht nach unten. Irgendwas kommt immer irgendwo raus. Wir können, wenn Sie wollen, eine kleine Sperre einbauen, die sich dann nur nach einer Seite hin öffnet, vielleicht funktioniert es ja.«

Wir ließen uns darauf ein. Die Arbeit dauerte nicht einmal dreißig Minuten und brachte tatsächlich was. Gleich am nächsten Morgen klingelte die Nachbarin aus dem Erdgeschoss bei meiner Mutter. Jetzt hatte sie in ihrer Schüssel irgendwas.

Berlin,
Frühling, sechzehn Uhr zwanzig

Meine Frau und meine Tochter sind einkaufen gegangen, weil Einkaufen bei uns zu Hause traditionell Frauensache ist. Mein vierjähriger Sohn Sebastian und ich sind zu Hause geblieben und passen aufeinander auf. Ich sitze friedlich in der Küche und halte die Hand an den Puls des Weltgeschehens, das heißt, ich höre die Vier-Uhr-Nachrichten auf Radio 1. Die Arbeitslosigkeit in Deutschland spielt verrückt, sie ist auf 4,7 Millionen gestiegen. Noch am Vormittag waren es 4,6. Es wird von Stunde zu Stunde schlimmer. In Berlin ist die Arbeitslosigkeit besonders hoch, sie steigt sogar im Minutentempo. Außerdem wird überall in der Stadt geblitzt – ein Glück, dass wir kein Auto haben.

Sebastian legt überhaupt keinen Wert auf Nachrichten.

»Mach das Radio aus«, ruft er. »Den ganzen Tag sitzt du vor dem Computer oder in der Küche. Lass uns lieber Fußball spielen!«

So ist es mit diesen Kindern. Kaum geboren, fangen sie schon an herumzukommandieren. Woher kommen nur dieses Selbstverständnis und diese sprudelnde Energie?

»So eine Unverschämtheit!«, entgegne ich. »Ich brauche die Küche. Ich brauche das Radio. Und du darfst deine Eltern nicht rumkommandieren!«

Sebastian überlegt kurz. »Du bist nicht Eltern!«, sagt er.

»O doch, und wie ich Eltern bin!«, rege ich mich auf. »Ich bin voll und ganz Eltern und werde dir jetzt als Beweis dafür den Hintern versohlen.«

»Okay«, sagt Sebastian und geht in sein Kinderzimmer, um dort weiter Schach zu spielen.

Wie Großmeister Kasparow einst gegen den Computer spielte, will auch Sebastian gegen seinen Lieblingsroboter gewinnen. Aber eine richtige Spannung lässt sich augenscheinlich bei diesem Spiel nicht aufbauen. Anders als im Falle des Großmeisters Kasparow hat in diesem Turnier weder der Mensch noch die Maschine eine Ahnung von Schach. Jetzt habe ich Gewissensbisse meinem Sohn gegenüber und mache das Radio aus. Wir spielen Fußball im Korridor.

»Tor«, schreit Sebastian.

Ich habe keins gesehen.

»Tor!«

Jedes Mal, wenn er den Ball trifft, heißt es sofort »Tor«.

Danach spielen wir Krankenhaus. Ich bin der Patient. Sebastian als Arzt gibt sich keine Mühe, mich nach irgendwelchen Beschwerden zu fragen, um eine fachkundige Diagnose zu stellen, er kommt gleich zur Sache.

»Ich muss dich leider aufschlitzen«, sagt er und holt ein Skalpell aus seiner Doktortasche. »Keine Angst, es tut nicht weh!«

»Aber lieber Arzt, Sie wissen doch gar nicht, was ich habe!«, versuche ich ihn umzustimmen.

»Das werden wir ja gleich sehen«, meint er.

»Das darfst du als Arzt nicht machen«, kläre ich ihn auf. »Du darfst mich nicht aufschlitzen, bevor ich dir nicht eine schriftliche Genehmigung erteilt und sie unterschrieben habe.«

»Dann unterschreib schnell«, sagt Sebastian und holt ein Blatt Papier von meinem Schreibtisch.

Ich gebe auf. »Okay, lieber Doktor, Sie dürfen mich aufschlitzen.«

»Dürfen wir danach auch mit dir spielen?«

»Klar, von mir aus«, sage ich. »Nur glaube ich nicht, dass das geht. Dann bin ich nämlich tot. Und die Toten spielen normalerweise nicht.«

»Was machst du denn, wenn du tot bist?«, fragt Sebastian interessiert.

»Oh, ich habe ganz große Pläne«, sage ich.

»Wie Batman werde ich durch die Luft flattern,
Wie Spiderman die Häuser hochklettern,
Frauen belästigen, Männer verhauen,
Den Guten helfen und den Bösen alles versauen.
Aber nachts werde ich euch besuchen,
Nachrichten hören und in den Computer gucken.«

»Ich habe es mir anderes überlegt«, sagt Sebastian, »ich schlitze dich lieber nicht auf.«

»Ach, vielen Dank«, sage ich.

»Aber bitte schön«, sagt er.

Losing my tradition

Obwohl Ost und West in der letzten Zeit immer näher zusammenkommen, sind die jeweiligen Kulturen noch meilenweit voneinander entfernt. Der Mensch kann zwar leichter als früher seinen geografischen Standort ändern, doch die kulturellen Traditionen der Vergangenheit schleppt er immer mit sich herum. Wie ein Sklave seine Ketten wird er seine realitätsfernen Traditionen nicht los. Das kann ich vor allem bei meinem Vater beobachten, der, obwohl schon seit über zehn Jahren in Deutschland, immer noch nicht gelernt hat, ohne Grund zu saufen. Einfach mal abends vor dem Fernseher oder mit Freunden in der Kneipe zu trinken und sich dabei entspannen, das geht nicht. Das kann er nicht. Er braucht zum Trinken immer einen handfesten Grund, der es zu einer Mission erhebt.

In Russland ist das so genannte Waschen die dafür verbreitetste Volkstradition. Wenn ein Nachbar, ein Freund, ein Familienmitglied, ein Arbeitskollege oder einfach ein flüchtiger Bekannter sich etwas gekauft hat, sei es nun ein Fahrrad, ein Fernseher oder eine neue Hose, muss das Ding sofort in möglichst großem Kreis »gewaschen« werden. Am besten mit Wodka. Ist keiner vorhanden, geht es auch mit Wein oder Bier. Nur dann wird nämlich das Fahrrad die trostlosesten Strecken bewältigen, der Fernseher immer einen guten Empfang haben und die Hose ewig halten, behaupten die Volksweisen. Ich erinnere mich noch gut, wie mein Vater vor vielen Jahren in Moskau einmal auf dem Balkon stand und voller Enthusiasmus unsere Nachbarin terrorisierte.

»Was hast du da gekauft?«, rief er ihr zu, als sie im Hof einen riesigen Teppich hinter sich herschleppte. »Doch nicht etwa einen Teppich? Den müssen wir sofort waschen! Was heißt, keine Lust? Bist du verrückt? Er wird doch sonst von Motten zerfressen! Du hast keine Motten? Du kriegst welche! Du hast kein Geld? Ich kann dir was borgen! Was heißt müde, ich habe zwei Flaschen hier, bin gleich bei euch!«

Mein Vater hielt sich eisern an diese Volkstradition. In unserer Wohnung wurden Möbel, Kleidungsstücke und alle technischen Geräte vor der ersten Nutzung erst einmal gründlich gewaschen, einige sogar mehrmals – zur Sicherheit. Ob man daran glaubte oder nicht, sie hielten dann ewig, niemals ging im Haushalt etwas kaputt. Nur einmal hat mein Vater sein Fahrrad demoliert. Er fuhr zu seinem Arbeitskollegen, weil eine frisch gekaufte Schrankwand dringend gewaschen werden musste. Auf dem Rückweg fuhr er hinter einem Linienbus her; in dessen Schatten fühlte er sich sicher. Nur hatte er nicht bedacht, dass der Bus immer wieder anhielt. Sie fuhren bergab, ziemlich schnell; bei der Bushaltestelle unten bremste der Busfahrer, ohne meinen Vater vorher zu benachrichtigen. Der flog gegen den Bus; das Fahrrad war nicht mehr reparaturfähig. Mein Vater bekam daraufhin vier neue Zähne verpasst, die sofort gewaschen wurden und trotz aller gegenläufiger Bemühungen deutscher Zahnärzte immer noch fest in seinem Mund hafteten.

In Deutschland hatte mein Vater zunächst Probleme, immer einen wichtigen Grund zum Trinken zu finden. Vor zwei Jahren las er mit Interesse in einer Zeitung über die Initiative »Saufen gegen Rechts«, musste aber feststellen, dass es sich dabei bloß um eine Spendenaktion für die Opfer rechter Gewalt handelte. Seine eigenen klein angelegten Aktionen wie zum Beispiel »Saufen für bessere Integration« oder »Saufen zur Vermittlung der Muttersprache an die Einheimischen« hatten wenig Erfolg. Die meisten kippten hierzulande einfach grundlos ihre Biere in sich hinein. Sie wollten keine Mission daraus machen, und wenn sie zu viel tranken, dann wurden sie entweder sentimental oder aggressiv. Deswegen hat mein Vater nun gänzlich mit dem Trinken aufgehört.

Die Kinder der Nacht

Das McDonald's gegenüber von meinem Haus ist zur Stammkneipe einer merkwürdigen Clique geworden. Einige Männer und Frauen sitzen dort oft bis tief in die Nacht, sie besprechen ihre Probleme bei einem Becher Cola und rauchen die Bude voll. Manchmal passieren dort auch Dramen: Frauen machen ihren Männern eine Szene oder umgekehrt. Warum haben diese Leute ausgerechnet das eklige McDonald's zu ihrer Stammkneipe gemacht?, fragte ich mich jedes Mal im Vorbeigehen, bis mir eines Tages klar wurde, dass diese so genannten Männer und Frauen Kinder waren und in keine andere Kneipe hineingelassen wurden.

Man verliert heute oft das Gefühl für das Alter der anderen. Alles zwischen sieben und siebenundsiebzig ist verschwommen. Die Jungen wachsen manchmal wie die Hunde und sind mit zwölf bereits größer als ihre Eltern. Selbst bei den kleinen Buckeligen mit den großen Ranzen auf dem Rücken wird man manchmal unsicher, ob das wirklich Schulkinder sind oder nur Hobbits auf Berlin-Erkundungstour, so ernsthaft sehen sie aus. Die Älteren dagegen altern nicht mehr richtig. Statt mit einer Krücke durch die Gegend zu laufen, kaufen sie bei *H&M* ein, weil das billig und cool ist.

Die Experten streiten, ob genmanipuliertes Gemüse, hormongespritztes Fleisch oder gekürzte Arbeitszeiten daran schuld sind, dass sich die Altersgrenzen verschieben. Auf jeden Fall sind die Folgen davon nicht zu übersehen. Große Kinder wollen nicht gleich nach dem Sandmännchen ins Bett gehen, sie wollen Action und landen im McDonald's zwischen Cola-Bechern und Luftballons. Von da aus wachen diese großen Kinder über die Nacht. Sie warten, bis sie achtzehn werden und die Stadt endlich übernehmen dürfen.

In meiner Kindheit gab es noch kein genmanipuliertes Gemüse. Wir waren auch nicht so groß – eher zu klein und niedlich. Unser Sandmännchen hieß *Gute Nacht, ihr Kleinen* und war um zwanzig Uhr dreißig zu Ende. Mein Vater hat diese Sendung gern geguckt, und oft schlief er ein, noch bevor die Geschichte zu Ende war. Ich dagegen blieb ihr fern. »Schlafen kannst du, wenn du tot bist«, lautete die Parole unserer Kindheit. Statt bei McDonald's versammelte sich unsere Clique neben dem Denkmal der Verteidiger der Festung Brest, in der Nähe des Kinos »Brest«. Die größten unter uns wurden ins Kino geschickt, um dort Bier und Zigaretten zu kaufen. Genau genommen gab es zwei Gruppen unter dem Denkmal: die Beatles-Fans und die Moped-Freaks. Beide Cliquen waren gleichermaßen von Lebensfreude und Aggressivität durchdrungen. Bei den Beatles-Fans habe ich mir zum ersten Mal ein blaues Auge geholt, als ich mich in eine sinnlose Diskussion darüber einmischte, ob John Lennon oder Paul McCartney den Song »All you need is love« geschrieben hatte. Mein kluger Ratschlag zur Beendigung des Streites – dass sie vielleicht zusammen den Song geschrieben hatten – wurde von beiden Parteien mit Entsetzen aufgenommen. Seitdem habe ich ein Kindheitstrauma: Das Lied »All you need is love« weckt Aggressionen in mir.

Bei den Moped-Freaks ging es ebenfalls heftig und heiter zu. Ihr Anführer Kolja ging eine Zeit lang in die gleiche Schule wie ich, bis er in der achten Klasse zwei Jahre Jugendknast bekam und dadurch in unserem Wohnbezirk zum Volkshelden wurde. Kolja schaffte es, am hellichten Tage mit seinem Moped durch das große Schaufenster des Juwelierladens

Malachit zu donnern, obwohl dessen Scheibe selbst bei den erfahrensten Moped-Freaks als schwer gepanzert und unüberwindbar galt. Er benutzte die Treppe vor dem Laden als eine Art Sprungbrett und schaffte es sogar, damit in die Zeitung zu kommen: Der Artikel hieß »Kinder ohne Zukunft« und kritisierte in scharfen Worten den Verfall der Sitten und die Mängel in der Erziehungsarbeit.

Nach einem Jahr kam Kolja auf Bewährung raus. Sein Ruhm hat ihm jedoch kein Glück gebracht: Statt nach weiteren Herausforderungen zu suchen und seine Heldentaten zu mehren, indem er zum Beispiel durch das Lenin-Mausoleum düste, soff Kolja »No future« nur noch wie ein Loch. Sein Moped ließ er im Keller verstauben. Innerhalb eines Jahres verwandelte sich der hoch geschätzte Held in einen lausigen Alkoholiker, womit sein lustiger Spitzname bedrohlich wahr wurde.

Doch im Großen und Ganzen haben sich alle, die damals die Sendung *Gute Nacht, ihr Kleinen* nicht gesehen haben, hervorragend entwickelt. Von wegen »No future«! Heute haben sie, die damaligen Kinder der Nacht, alles unter Kontrolle. Auch in Berlin sehe ich oft Kinder, die in der Nacht herumlaufen. Neulich kam sogar zu uns in die Russendisko eine Kindergruppe. Sie haben das größte Kind als Beweis ihrer Volljährigkeit vorne aufgestellt. Doch selbst das größte, obwohl mit einer Bierflasche ausgestattet, sah maximal wie fünfzehn aus, und was hinter ihm stand, war noch kleiner und kleiner. Das letzte Kind, ein Mädchen, war schon Grundschule pur.

»Geht nach Hause«, lächelte unser Türsteher, »guckt euch lieber *Sandmännchen* an.«

»Wir wollen nur ein wenig tanzen«, konterte das größte Kind selbstbewusst, »*Sandmännchen* ist schon längst vorbei, danach gehen wir in die Disko, das machen wir immer so!«

»Dann zeigt mir eure Ausweise!«

Nach diesem Wortwechsel gaben die Kinder auf. Besonders mitgenommen wirkte die Grundschulabsolventin, die anscheinend unbedingt zur russischen Musik tanzen wollte.

»Viel Spass, Scheißdisko!«, rief dem Türsteher zuletzt noch der große Freche von der Straße aus zu.

»Geht schlafen! Morgen um sechs fängt die Schule an!«, rief der zurück.

»Morgen ist Sonntag!«, lachten sie – und zogen weiter, diese verlorenen Söhne und Töchter des Sandmännchens, auf der Suche nach anderen, noch dunkleren Kneipen mit Tanzmusik, wo man sie vielleicht nicht als Minderjährige erkannte.

»Hast du das gesehen?«, schüttelte der Türsteher

den Kopf. »Ich sage dir, diese Kinder haben keine Zukunft.«

»Aber nicht doch«, entgegnete ich, »du wirst sehen – in zwanzig Jahren übernehmen sie die Stadt.«